CÓMO LOGRAR TU
LIBERTAD FINANCIERA
JOSÉ MONTOYA

Montoya, José María

Cómo lograr tu libertad financiera / José María Montoya. - 1a ed amplia-
da. - 3ª. reimp.- Córdoba : José María Montoya, 2020.

260 p. ; 21 x 15 cm.

ISBN 978-987-86-3752-5

1. Administración Económica. 2. Administración Financiera. 3. Finanzas
Personales. I. Título.

CDD 332.024

Diseño de portada: Gabriela Callado

Foto de contratapa: Álbum de autor

Este libro se terminó de imprimir en el mes de octubre de 2020.

CÓMO LOGRAR TU
LIBERTAD
FINANCIERA
JOSÉ MONTOYA

INTRODUCCIÓN

¿Qué te gustaría que sucediera en tu vida en los próximos meses?...

No importa el lugar donde te encuentres AHORA, lo que importa es EN QUÉ DIRECCIÓN VAS A MOVERTE a partir de AHORA.

Esta obra demuestra cómo cualquier persona que comprenda el funcionamiento del dinero y sus reglas básicas, puede comenzar a generarlo y reproducirlo de manera próspera.

IDEAS EQUIVOCADAS QUE APARTAN EL DINERO DE TU VIDA

El dinero nunca permanece estático o encerrado en la bóveda de algún banco. El dinero siempre se encuentra en circulación, en permanente movimiento. Los bancos y gobiernos de todo el planeta no se detienen un solo día en la producción e impresión de más y nuevos billetes. No ha existido en la historia de la humanidad un momento con tanto dinero circulante en el mundo como el que hoy vivimos. Los hombres y mujeres más adinerados conocen estos dos principios: el dinero no deja de fabricarse, las riquezas no dejan de aumentar en todo el planeta, pero llegarán solo a las manos de quienes aprendan el sentido de su circulación, sus reglas básicas, y algunos principios de administración financiera personal.

El dinero ocupa gran parte de nuestra vida cuando no sabemos producirlo de forma próspera. Se puede convertir en el área de tu vida que se queda con la mayor parte de tu tiempo diario. Pero existe una gran diferencia entre quienes trabajan por obligación y quienes trabajan por elección. Una persona que trabaja por obligación es aquella que necesita cubrir sus gastos de cada mes, por ende, debe trabajar obligadamente para no interrumpir el flujo de dinero que recibe. Las personas que trabajan por obligación generalmente no están satisfechas con su trabajo y como consecuencia, con el paso de los años, padecen enfermedades psicosomáticas. Una persona que trabaja por elección es aquella que elige trabajar pero que no lo necesita. Te sorprendería saber la cantidad de personas que no necesitan de su trabajo, pero que lo continúan haciendo porque encuentran en él un sentido de colaboración hacia los demás, una pasión, o un propósito que va más allá del dinero. ¡Se sienten VIVOS y plenos por hacer algo que les fascina!

El dinero siempre se encuentra en movimiento, ya que es la única manera de ejercer su poder (de compra y adquisición de bienes y servicios). En el momento en que lo detienes deja de ser útil y en muchos casos, incluso, pierde poco a poco su valor real.

¿Qué haces cuando el dinero llega a tus manos?

Casi de inmediato lo pones en movimiento.

¿De qué manera?

Al pagar tu estilo de vida, al comprar bienes, contratar servicios, saldar deudas, invertir en nuevos negocios, etc. Nuestras manos o cuentas bancarias son simplemente una parte del gran conducto o circuito por el cual el dinero transita libremente. La pregunta es: ¿cuánto dinero pasa por tu cuenta bancaria o tus manos cada mes? ¿Estás ubicado en la dirección en que el dinero fluye?

Cuando el dinero es escaso, nos encontramos en una actividad o profesión que va a contramano del sentido natural del dinero. Ya aprenderemos eso más adelante.

Cuando el dinero se imprime empieza casi de inmediato su traslado, de un banco a otro, de un país a otro, de una empresa a otra, de una persona a otra, de una mano a otra. Incluso ahora existen el dinero digital y el dinero virtual, que no son más que conductos de tránsito del dinero con mayor potencia y velocidad.

En el instante que el dinero toma contacto con el mercado, es decir, es introducido a la economía para ser utilizado, siempre lo hace en un sentido o dirección. Si tú aprendes y descubres cuál es la dirección en que el dinero se mueve, podrás pararte en su camino y aprender a obtenerlo con menos esfuerzo y menos trabajo. Las personas que más trabajan y más se esfuerzan para obtener dinero, son aquellas que escogen un trabajo, profesión o actividad sin tener en cuenta la dirección natural del dinero.

¡EL MUNDO DEL REVÉS!

¿Tú qué haces?

1. ¿Trabajas para hacer dinero?

o...

2. ¿Haces dinero para trabajarlo?

La mayoría de las personas se ubica en la opción 1: trabajan para hacer dinero. Elegir un trabajo sin analizar o descubrir el flujo de dinero que puede circular o atraer esa actividad o empleo, consumirá los mejores años de tu vida. Pese al gran esfuerzo que puedas hacer, es imposible obtener progreso significativo en una actividad que está fuera del flujo de circulación del dinero.

Otra idea equivocada es creer que el trabajo duro y hacer dinero son dos cosas que van de la mano. Como si una fuera consecuencia de la otra. Como si el dinero recompensara el trabajo arduo y esforzado. Si así fuera, los que más dinero obtendrían serían los obreros que trabajan de sol a sol, o los trabajadores de la construcción con sus largas jornadas de duro y arduo esfuerzo. Y los pobres entonces, serían los que pasan su día en las canchas del golf, de compras en el shopping, de pesca y/o paseo en sus yates, o simplemente disfrutando de la familia, viajando por el mundo o haciendo beneficencia y colaborando en proyectos humanitarios. Pero No, no es así. Los que más dinero ganan son los que menos trabajan. El dinero no se produce con esfuerzo, sino con ideas. El dinero no debe ser utilizado para gastos sino para crear más dinero. El dinero puede ser perseguido mediante una actividad equivocada, o atraído si nos colocamos en su misma dirección. Estos son los puntos que trataremos de aquí en más. ¡Abróchate el cinturón, apenas estamos por despegar!

Este taller sobre finanzas personales y el dinero te ayudará a encontrar las ideas y el coraje que necesitas para lograr un nuevo nivel de éxito personal, profesional y económico. ¡Comencemos!

CAPÍTULO 1

TU VIDA NO CAMBIA,
A MENOS QUE CAMBIES ALGO

Marca la respuesta que consideras correcta:
"Nada se logra sin esfuerzo".
VERDADERO (   )
FALSO (   )

No es verdad que se requiera mucho trabajo y esfuerzo para lograr algo o ser alguien en la vida. Esa frase es la excusa perfecta de quienes NO saben cómo ser productivos en el mundo moderno actual, donde las oportunidades ya no están a la vuelta de la esquina sino, más bien, pateando nuestra puerta cada día.

¡Solo en América Latina, aparecen cientos de nuevos millonarios cada día! Nunca antes hubo tanto dinero en el mundo como en nuestra época, y nunca fue tan fácil el acceso a la información y nuevos conocimientos.

Esa COMBINACIÓN PERFECTA (dinero imprimiéndose cada día + fácil e inmediato acceso a la información), representa dos cosas: Oportunidad y Riqueza REAL para aquellos que estén listos para VER y aprender las NUEVAS REGLAS de juego, y dispuestos a tomar ACCIÓN.

Te demostraré cómo una persona común, que cuenta con el Plan de Acción Correcto y una serie de Hábitos Nuevos relacionados con el trabajo y el dinero, no necesita de un gran esfuerzo ni de grandes habilidades para alcanzar las cosas que desea.

Si eres de los que piensan que "no se puede" o que "el dinero no es para ti", o que "el dinero es algo difícil de conseguir", este material no te será de ayuda.

Todo tu pasado, tus andanzas recorridas a lo largo de tus años de vida y tus experiencias vividas hasta este momento, te han ubicado en el lugar y posición que hoy tienes y ocupas en lo económico y en lo personal.

Puedes llevar tu vida a un nuevo nivel de conquista, logros y éxito, incorporando, modificando y CAMBIANDO algunos hábitos de tu día a día y aquellos conceptos que viven arraigados en ti en relación al dinero, el trabajo y el mundo que te rodea. Si estás listo para iniciar esos CAMBIOS, yo estoy listo para darte una GUÍA INICIAL por este viaje que puede transformar tu vida para siempre.

Un pilar del éxito nos dice:

Cree en ti.

Nunca nadie actúa en contra de lo que cree posible.

Cuando crees que algo "no se puede", o que "no eres capaz" de conseguir una nueva meta o superar un desafío, dejas de accionar mecanismos internos (emocionales y psicológicos) necesarios para avanzar y moverte a un nuevo nivel de éxito.

Cuando dices "NO PUEDO", "NO SÉ", "NO CREO", estás bloqueando la principal vía de acceso al empoderamiento personal, que necesitas para luego CREAR una vida plena, feliz y más grande.

Tal vez hoy estés muy lejos de las metas que un día soñaste. Quizás estés como yo algunos años atrás, cuando estaba sumergido en deudas, o trabajando demasiadas horas cada día para progresar muy poco o nada. Eso significa una sola cosa: no sabes producir dinero en forma próspera y recurrente.

Quizás tengas un trabajo con una fuente de ingresos estable, pero te has preguntado alguna vez:

- ¿Qué sucedería si por alguna razón me viera obligado o imposibilitado de continuar trabajando o seguir con mi profesión?

- ¿Son mis ahorros suficientes para sostener a mi familia y nivel de vida actual?

- ¿Cuánto tiempo podré sostener mi estilo de vida sin depender de mi trabajo o fuente de dinero actual?

Si eres como la mayoría de las personas, es seguro que no has recibido la instrucción adecuada sobre cómo hacer dinero de forma prospera, cómo administrar y gestionar el dinero, cómo hallar y administrar tus recursos (conocimientos, tiempo, trabajo y esfuerzo) para crear un ciclo de crecimiento continuo en tu vida.

Uno de los factores limitantes en tu progreso ha sido y sigue siendo tu entorno (el medio en que hoy te desempeñas y vives). Tu entorno tiene mucha responsabilidad en quien hoy eres.

Lo que hoy sabes y conoces, todo, apareció y fue tomando forma desde tu entorno.

Tu entorno está compuesto por todas las personas que han pasado por tu vida.

A medida que has compartido experiencias y tiempo con esas personas, te has ido convirtiendo, sin darte cuenta, en una medida de cada uno de ellos/as, porque has estado tomando continuamente sus conocimientos, sus hábitos, sus gestos, sus actitudes, sus pensamientos, sus ideas y opiniones, sus enseñanzas, sus mañas, métodos y formas de hacer las cosas, sus conceptos, sus experiencias, etc. ¡Incluso hasta la tonada has tomado de ellos! A veces usamos hasta las mismas frases, tenemos las mismas ideas políticas, hinchamos por el mismo equipo de fútbol, y hasta profesamos la misma religión. A medida que has ido creciendo y avanzando en edad, tu entorno se ha ido modificando un poco, ya que algunas personas entran y salen de tu vida continuamente. Hay personas que solo ingresan por periodos de tiempo (pareja, maestros de escuela, amigos de infancia o juventud, compañeros de trabajo, un jefe, etc.). Siempre has estado adaptándote de un modo u otro, absorbiendo inconscientemente gran parte de ese entorno (de esas personas) que se presentan en tu vida. Siempre has sido, lo que tu entorno ha hecho de ti.

Un pilar del éxito dice:

Nadie es, ni logra, más allá del promedio de logros alcanzados por su entorno.

Si hubieras nacido en otras circunstancias, en otro país, con otra cultura, ¿crees que serías como hoy eres? ¡Sin dudas que no! Imagina que has nacido en Asia, bajo costumbres diferentes, bajo una formación diferente, con una religión inculcada muy diferente a la que hoy conoces, ¿crees que pensarías tal como piensas hoy, o que tendrías tu ideología actual? ¡Claro que no! Eres y tienes lo que tu entorno ha hecho de ti a lo largo de los años.

Si te has desarrollado dentro de un entorno débil, o de estancamiento y limitación, dentro de conversaciones de pobreza, gran parte de tus sentimientos e ideología están entonces programados para continuar, extender y concretar esas ideas inculcadas.

¿Eso significa que vivirás toda la vida en la pobreza o con limitación? NO, nada de eso.

Mi abuelo era albañil e hizo de mi padre un gran albañil también. Mi padre tenía por costumbre llevarme a trabajar con él para inculcarme el trabajo y enseñarme de algún modo, una profesión. Y allí estaba yo, entre ladrillos y tierra, aprendiendo cómo continuar la vida de ellos en la mía. Ese fue mi entorno en ese momento. Cuando mi padre murió, atropellado por un borracho, toda la familia vivió una situación muy desesperante en todo sentido. Mi madre debió abandonar su rol en casa para salir a trabajar (es muy difícil conseguir empleo para una persona mayor y sin estudios de ningún tipo). Por otra parte, también yo debí salir a trabajar para poder pagarme los estudios secundarios. Algunos vecinos empezaron a darme changas (trabajos pequeños) relacionados con la albañilería, que era mi supuesta profesión de entonces.

El cambio en mi vida no tuvo lugar hasta el día en que dije BASTA. Basta de este trabajo, basta de estos ingresos, y basta de esta vida de miseria: *"No quiero esto para mí", "no quiero esto para mi futuro"*. Busqué otras personas con las cuales rodearme e sumarlas a mi entorno. Aprendí cosas nuevas de cada una de ellas, incorporé poco a poco un vocabulario nuevo que ellos usaban y yo desconocía, aprendí términos nuevos que generaron ideas nuevas y metas nuevas en mi cabeza, conocí la forma de vivir que ellos tenían, sus formas de planear y ver la vida. Si bien no eran personas megaexitosas, ni ricas, ni millonarias, SÍ eran MÁS y sus logros eran superiores (el promedio de logros alcanzados) respecto a los logros que mi primer entorno tenía en aquella época. Lenta y gradualmente me fui convirtiendo en la media de ese nuevo entorno, en una persona completamente nueva. Ese fue el inicio.

- ¿Qué tiempo vas a tomarte para hallar las personas correctas e incorporarlas a tu vida?
- ¿Eres capaz de identificar tu entorno actual y calificarlo? ¿Cómo es? ¿Es un entorno de ÉXITO?
- ¿Cuántas personas de tu entorno están disponibles para ayudarte y acompañarte a alcanzar un nuevo NIVEL de éxito en tu vida?
- ¿Crees que las maneras en que has aprendido a hablar, pensar, reaccionar, proyectar, son de una persona rica y exitosa? ¿Se corresponden con el tipo de persona y logros que quisieras alcanzar?
- ¿Qué personas consideras que deberían ser parte de tu nuevo entorno?
- ¿Con qué personas deberías pasar más tiempo para aprender de ellas y copiar algunas de sus creencias, pensamientos y experiencias?

Según el NIVEL de VIDA y de ÉXITO que esperas alcanzar, necesitas hallar y rodearte de personas que ya estén en ese nivel de éxito al que aspiras. Personas que cuenten con:

1. La Preparación (mentalidad y conocimientos adecuados sobre el éxito y el dinero).

2. Las Experiencias (quienes ya alcanzaron estabilidad y holgura económica conocen el camino al éxito y sus contratiempos para poder enseñártelos).

3. Los Resultados (quienes puedan demostrar en hechos concretos sus conquistas, metas superadas, y logros alcanzados).

Además de contar con los tres requisitos anteriores, ellas deben estar dispuestas a guiarte y compartir un plan de trabajo contigo, con el que paso a paso, puedas aprender el cómo **piensan**, el cómo **deciden**, el cómo **accionan**, y el cómo **corrigen y resuelven** los obstáculos, las carencias y los problemas que un día debieron enfrentar para poder luego caminar en línea recta a cada una de sus metas.

Lo más probable es que vivas en un entorno compuesto por personas (familia, amigos, compañeros de trabajo, etc.) que están enfrascadas en la rutina de todos los días hacer las mismas cosas, con empleos y profesiones de ingresos medios, bajos y/o muy bajos.

El pilar del éxito que aprendimos antes, yo lo resumiría de la siguiente manera:

Tu entorno es tu principal limitante.

¿Cuántas personas de tu entorno (allegados a ti, con quienes compartes parte de tu día) poseen ingresos:

1. ¿Superiores a 1.000 usd/ mes? ....

2. ¿Superiores a 5.000 usd/ mes? ....

3. ¿Superiores a 10.000 usd/ mes? ....

4. ¿Superiores a 20.000 usd/ mes? ....

5. ¿Superiores a 50.000 usd/ mes? ....

6. ¿Superiores a 100.000 usd/ mes? ....

Si en las preguntas anteriores, a medida que completas desde la primera hasta la sexta opción, te cuesta trabajo hallar nombres de personas allegadas a ti (de tu entorno, con quienes compartes gran parte de tu día a día), esta es la más evidente demostración del POR QUÉ estás lejos de alcanzar plenitud financiera y hacer realidad tus metas. Nadie puede lograr más que el logro promedio que han alcanzado las personas con las que vive cada día.

En los siguientes capítulos aprenderás cómo salvar esta limitación, y cómo cualquier persona que tenga un corazón con ardiente deseo de superación puede lograr sus metas y un nivel de prosperidad económica al que pocos acceden, asimilando una serie de hábitos relacionados con el TRABAJO y el DINERO.

A medida que avances en la lectura, descubrirás rutinas y hábitos que HOY estás utilizando y que impiden que el dinero fluya de forma próspera hacia ti. Te sorprenderás de cuántas cosas hacemos de manera rutinaria e inconsciente cada día para estar siempre estancados y alejar el dinero y el éxito de nuestra vida.

Dios ha puesto una semilla de grandeza en tu vida. Tu trabajo es hacer el espacio suficiente para que esa semilla inicie su crecimiento, florezca y dé su fruto en el menor tiempo posible.

CUENTO PARA REFLEXIONAR

Un viajero muy creyente en Dios, cruzaba por un extenso desierto de rocas y arena.

De pronto avista a la distancia un llamativo espacio verde en medio del gigantesco desierto. El viajero se apresura para llegar al lugar y descubre allí la vivienda de un jardinero que había sido capaz de sembrar una increíble variedad de plantas con flores de todas las especies y colores.

Impresionado, nuestro creyente viajero llama al jardinero que vive allí para asegurarse de que este hombre estuviera agradecido por el hermoso jardín que Dios le había dado. Cuando el jardinero llega a la puerta del jardín para recibirlo, el viajero con una expresión de doble sentido le dice: *"Vaya jardinero, Dios ha puesto en tus manos un paraíso en medio de un desierto donde solo había rocas y arena. ¿Estás agradecido por este imponente jardín que Él ha puesto en tus manos?"*. El jardinero respondió: *"¡Sí, claro!... Dios me ha dado la vida y me ha dado un poco de agua. También me ha dado un poco de sol cada día, pero deberías haber visto lo que era este lugar cuando estaba solamente en manos de Dios"*.

Moraleja: Dios ya nos ha dado todo cuanto necesitamos para hacer realidad nuestros sueños y crear el tipo de vida (jardín) que queramos. ¡Está ahora en nosotros echar manos a la obra y crear nuestro más imponente jardín!

CAPÍTULO 2

"PERO JOSÉ... NO LOGRO GANAR MÁS DINERO DEL QUE GANO, ¿QUÉ HAGO?"

Ya sea si atravesamos una situación económica desfavorable, o si buscamos incrementar nuestros ingresos, existen cuatro caminos posibles:

CAMINO 1:

REBAJAR tu nivel de VIDA, para VIVIR con menos. Rebajar el nivel de vida para adecuarlo a los ingresos actuales es la opción que toman la mayoría de las personas que conocemos.

Acomodar tu vida y tus metas al nivel de tu ingresos en vez de acomodar/elevar tus ingresos al nivel de vida y sueños que deseas.

La gente se pregunta: *"¿Cuánto es lo que gano?", "¿cuánto me paga este trabajo o empleo?", "OK, es lo que hay, ajustaré mi vida a ello".* ¡Listo!, final de la historia. Y permanecerán allí por años, estancados y atados a un trabajo y sin tener una vida.

¿CÓMO REBAJAS TU NIVEL DE VIDA PARA ADECUARLO A TU NIVEL DE INGRESOS?

Renunciando a todas las metas y sueños que se encuentren más allá de tus ingresos actuales. Tus ingresos actuales permiten una determinada cantidad de bienes y/o servicios a los que puedes acceder con ellos cada mes. A medida que tus ingresos aumentan, son más las experiencias, los bienes y servicios a los que puedes acceder con ellos. Por lo contrario, a medida que tus ingresos disminuyen, son menos las cosas a las que puedes acceder con tu dinero.

Nuestros ingresos determinan así un margen REAL de cosas que podemos hacer y de cosas que no podemos hacer. Existen bienes, servicios, y experiencias, que si queremos comprar o acceder a ellos, nos encontraremos que están más allá del margen de nuestros ingresos actuales.

Ese margen se llama FRANJA de INGRESOS. Esa franja es el límite que IMPONEN tus ingresos actuales a tu vida actual. De hecho, todos tenemos un límite de cosas a las que podemos acceder y a las que no podemos acceder según nuestro nivel de ingresos.

Incluso los hombres más adinerados del mundo tienen sus propios límites también.

Quizás algún multimillonario pueda comprarse una isla en la Polinesia, pero no puede comprarse todas las islas del planeta, por ende, todos tenemos una FRANJA de INGRESOS REAL.

Preguntas:

- ¿DÓNDE está PUESTA tu FRANJA de Ingresos o LIMITE ACTUAL?

$ ....

O dicho de otra manera:

- ¿DÓNDE has **establecido** tu límite actual? ¿En qué monto?

$ ....

- ¿Cuáles son tus ingresos actuales?

$ ....

- ¿Cuáles son las experiencias, bienes, servicios a los que te permiten acceder tus ingresos actuales?

....

Incluso, puedes rebajar tu nivel de VIDA aún más mudándote a una casa más pequeña, limitando y ajustando todos tus gastos actuales, privándote de diferentes actividades, bienes, experiencias, etc.

Las personas que eligen este camino de ajuste (acomodar su vida a sus ingresos bajos), llevan vidas con muchas limitaciones y privaciones de todo tipo: no viven en el barrio que realmente anhelan, no pueden disponer del tipo de coche que quisieran, tampoco pueden disponer de su propio tiempo para hacer las cosas que quieren o aquellas que les gusta hacer ya que están SIEMPRE limitadas, o con el dinero que obtienen cada mes, o con el tiempo del que disponen cada día, ya que dedican demasiadas horas cada semana a un trabajo que genera ingresos por debajo del que aspiran, o por debajo del que requieren para sostener la vida que desean.

CAMINO 2:

ENDEUDARTE para CUBRIR tu NIVEL de VIDA ACTUAL.

La gente que vive en este camino generalmente utiliza sus tarjetas de crédito para comprar cosas básicas como alimentos, calzado, vestimenta, electrodomésticos, etc. A la hora de percibir su salario y/o sus ingresos cada mes, ya tienen gran parte de los mismos asignada y gastada por adelantado, ya que deben pagar todas sus deudas ya tomadas, más los intereses que estas deudas o créditos generan cada día.

Al igual que en la opción anterior, tampoco pueden disponer de suficiente tiempo como quisieran, ya que dedican muchas horas y esfuerzo al trabajo diario, con la necesidad de pagar sus constantes deudas y/o créditos mal tomados.

CAMINO 3:

TRABAJAR MÁS para GANAR más DINERO.

Parece una buena opción, aunque tiene un gran inconveniente: trabajar más o asignar más tiempo al trabajo implica quitar tiempo a otras áreas importantes de nuestra vida: espiritualidad, salud, familia, pareja, desarrollo personal, deportes, relaciones, autoconocimiento, amistades, etc.

¿Cuánto tiempo has dedicado a cada una de esas áreas de tu vida últimamente?

¿Te animas a realizar una lista con cada área de tu vida y colocar el tiempo diario que le dedicas a cada una de ellas?

Vida espiritual: actualmente le dedico .... horas cada día.

Deporte: actualmente le dedico .... horas cada día.

Salud mental: actualmente le dedico .... horas cada día.

Familia: actualmente le dedico .... horas cada día.

Desarrollo personal: actualmente le dedico .... horas cada día.

Relaciones: actualmente le dedico .... horas cada día.

Trabajo: actualmente le dedico .... horas cada día.

Agrega todas las áreas que creas conveniente o que según tu ideología son importantes para ti:

....

....

....

....

....

¿Crees que hay equilibrio en tu vida? ¿Esa es la vida que deseas vivir?

Las personas que trabajan cinco o más horas al día tienen un evidente desequilibrio en las demás áreas de su vida. Parecería que la única área que les importa, es el TRABAJO y el DINERO. Han hecho del trabajo la única cosa importante en sus vidas.

Ellos pueden sentirse muy felices trabajando muchas horas cada día porque sienten que están haciendo algo productivo. De hecho, los adictos al trabajo, si les quitas las únicas cosas a las que saben dedicar su tiempo (su trabajo o profesión), se sienten frustrados y deprimidos. Hay personas que sienten que pierden identidad si les reduces el tiempo que dedican a sus profesiones y empleos.

He conocido personas que se han deprimido durante sus vacaciones laborales ya que en el único sitio donde han aprendido a disfrutar o sentirse útiles en es el ámbito laboral.

En mi caso particular, si hoy me preguntas: *"¿Qué prefieres José, trabajar o salir de paseo con tu enamorada?".* ¡Ya conocerás mi respuesta!

25

- ¿Trabajar o disfrutar de una salida con una encantadora compañía?
- ¿Trabajar o asistir a una conferencia o un seminario donde aprenderé cosas nuevas?
- ¿Trabajar o disfrutar un día junto a amigos y familia en casa?
- ¿Trabajar o asistir a un orfanato o a un comedor para brindar ayuda?
- ¿Trabajar o leer un buen libro?
- ¿Trabajar o practicar un deporte?
- ¿Trabajar o quedarme en casa a disfrutar un día con mis hijos?
- ¿Trabajar o hacer un viaje en familia?

La verdad es que con tantas cosas hermosas que la vida presenta, ¡no me queda tiempo para el trabajo! Lo último que aparece en mi lista es trabajar.

Y estarás diciendo: *"Pero de algo hay que vivir José".*

¡Así es! Justamente por eso es que mi concepto de EMPRESARIO es muy diferente al de la mayoría de las personas, incluso de la mayoría de los empresarios mismos. Ya profundizaremos más adelante en ese concepto.

La gente tarda demasiado tiempo en identificar las cosas importantes de la vida. Si NO eres equilibrado en todas las áreas de tu vida, tendrás enormes arrepentimientos al final de ella.

En este grupo de "trabajar más para ganar más dinero", encontramos personas que trabajan largas jornadas y/o turnos extras inclusive.

Es normal hallar matrimonios o parejas donde ambos trabajan para aportar a la ajustada economía del hogar. No está mal que ambos trabajen en la medida que sea por desarrollo personal, placer, y no solo por necesidad de cubrir los gastos de cada mes. También en este grupo (de trabajar y trabajar), hay personas que desarrollan algún tipo de negocio o de actividad extra y/o independiente, como el profesional que debe distanciarse de su hogar la mayor parte del día para poder desarrollar su trabajo, su profesión o su comercio, etc.

En esta categoría se encuentra la gran parte de lo que conocemos como CLASE MEDIA (mal llamada clase media).

Hay personas que desarrollan actividades de ingresos altos, pero al igual que en la opción anterior, no tienen tiempo suficiente para la familia, la salud, el desarrollo personal, los hijos, etc.

Algunos tratan de aliviar el enorme desequilibrio en que están metidos dedicando las horas sobrantes del día a la familia o los hijos cuando son pequeños, a veces incluso programando una salida de vez en cuando. Si los observas, durante ese breve momento dedicado a la familia también están ausentes, ya que físicamente se encuentran allí, pero sus cabezas están volando en otra parte, ¡ya imaginarás dónde!

Y si bien esas salidas engañosas funcionan para aliviar la culpa y sentirnos responsables, es un alivio temporal, ya que la lista de arrepentimientos a futuro empieza a tomar forma y un día caerá por su propio peso.

Cuando las cosas importantes de nuestra vida quedan relegadas a un segundo plano debido a la rutina y el trajín del día a día (para trabajar más o simplemente hacer más dinero), tarde o temprano la vida misma enviará su factura; generalmente cuando ya es demasiado tarde (en la vejez) como para revertir el tiempo y recuperar las experiencias NO vividas.

Son muy pocas las personas que llegada la hora de despedir a sus seres queridos (muerte), pueden decir: *"He vivido la vida que quería", "he descubierto mi propósito y he dejado a mi familia el gran secreto de la vida".* La mayoría de las personas no muere feliz. La mayoría siente que no ha llegado listo o preparado a sus últimos años de vida.

Cuando somos jóvenes nos sentimos vivos, apasionados, fuertes, y no somos conscientes de lo rápido que pasa esa etapa de la vida.

En cuatro ocasiones diferentes mi abuelo supo decirme: *"Hijo, no trabajes tanto, te vas a arrepentir".*

Mi abuelo falleció y yo no entendí su consejo. Fui a la universidad y me ocupé de trabajar más y más porque al fin y al cabo, cuando somos jóvenes creemos que tenemos que trabajar lo que más se pueda y ganar así la mayor cantidad de dinero posible para poder comprar la casa, el auto, el viaje, y de nuevo el auto, y de nuevo la casa, y otra vez el auto, y otra vez la casa, para de nuevo empezar por el nuevo auto... y entrar así en ese circuito tonto e interminable de siempre tener que comprar algo nuevo, o tener que alcanzar algo que no tenemos y que supuestamente necesitamos.

¡DESPIERTA! ¿Cuándo piensas VIVIR?

No digo que no tengas METAS continuamente. Todo lo contrario:

- ¿Cuánto es lo máximo que debes lograr en la vida?
- ¿Cuántas metas debes alcanzar?
- ¿Cuánto es lo máximo que debes ayudar a otros?
- ¿Cuánto es lo máximo que debes aprender y crecer?
- ¿Cuánto es el máximo dinero que debes ganar?

La respuesta a cada pregunta es: **¡Todo lo máximo que puedas!** Todo lo que tu capacidad permita en la medida que seas equilibrado en TODAS las áreas de tu vida, y no dejes que un área consuma y/o destruya a otra. Son tantos los casos de personas que perdieron a su familia o su salud, o que comprometieron otros valores a causa del dinero, el trabajo, o la fama...

Cuatro veces el viejito (mi abuelo) que ya no podía levantarse solo de su silla, me dijo: *"Hijo, no trabajes tanto, te vas a arrepentir".* Después de varios años entendí lo que mi abuelo quiso decir y el sufrimiento que había detrás de sus palabras. Él no quería decir *"Hijo, no trabajes tanto que te vas a arrepentir";* lo que él estaba en verdad tratando de decir, fue: *"Arruiné toda mi vida por manejarme mal", "desperdicié mi vida entera y mira como terminé", "ahora que la vida se me va, me doy cuenta que lo hice todo mal".*

Tenemos un tiempo muy breve para hacer dinero y resolver nuestra economía de una vez y para siempre. Tenemos un tiempo muy corto para identificar las cosas importantes de la vida y dedicarnos a ellas.

Busca el ejercicio REFLEXIVO relacionado con este tema, en nuestra página web: **www.JoseMontoya.info**. Te permitirá comprender más profundamente este capítulo y tener un punto de partida desde el cual comenzar a trabajar y organizar tu nueva vida.

CAPÍTULO 3

LA OTRA OPCIÓN: EL CUARTO CAMINO

CAMINO 4:

CREAR un SISTEMA que TRABAJE POR TI.

Este es el camino que la gran mayoría desconoce: crear ingresos que fluyan de manera continua absorbiendo poco o nada de tu tiempo. ¿Suena bien, verdad? Ganar el DOBLE de lo que hoy ganas, trabajando quizás la MITAD de lo que hoy trabajas. O mejor aún, que progresivamente puedas hacer crecer esos ingresos y disminuir el tiempo que dedicas a ellos a CERO si quisieras.

A eso le llamo LIBERTAD FINANCIERA: ganar suficiente dinero como para cubrir tus expectativas y estilo de vida, invirtiendo poco o nada de tu tiempo en él.

¿Y qué harás con tu tiempo libre? Pues, ¡lo que quieras! Dedicarte a tu familia, a tus actividades favoritas, ir de compras, pasear con amigos, retirarte a tus lugares o sitios predilectos de la ciudad o del mundo, viajar a conocer otras culturas, cumplirle el sueño a otras personas, ayudar a otros en su búsqueda de propósito, o tal vez aprender un idioma, hacer un deporte o desarrollar una habilidad nueva, escribir un libro, pintar, etc. y etc. En fin, todo lo que quieras y todo lo que te guste hacer. Hasta quizás descubras una nueva pasión a la cual dedicarte. Conozco muchas personas que cuando lograron estabilizar sus finanzas y crear un flujo de ingresos de forma PASIVA (sin necesidad de trabajar) descubrieron una segunda vocación en su tiempo libre. Una que les apasiona de verdad. Quizás sea incluso su verdadera vocación, y la ahogaron durante años a cambio de un trabajo mal pagado.

También conozco personas que dedican ese tiempo libre a crear más y nuevas fuentes de ingresos, lo cual es también una opción válida. Hay personas que nacen con la capacidad y talento para hacer dinero y crear nuevos negocios o nuevas fuentes de ingresos de manera recurrente, utilizando ese dinero generado para obras de beneficencia y/o caridad. ¡Sería un gran error desperdiciar ese talento o habilidad! Y esto sin mencionar que cuando descubres una PASIÓN y te dedicas a ella, nunca sientes que estás trabajando, por el contrario, disfrutas de lo que haces y no ves la hora de regresar otra vez al trabajo. Incluso en esos casos, en que se disfruta del trabajo y su pasión al máximo, hay que equilibrar nuestra vida en todas sus áreas, tal como ya vimos en el capítulo anterior.

¿CÓMO crear un sistema de generación de ingresos que funcione solo?

Esto no sucede de un día para el otro. Las preguntas son:

- ¿Estás creando un sistema que trabaje para ti en un futuro cercano?
- ¿En cuánto tiempo serás financieramente libre con tu trabajo actual o el sistema que estás creando hoy?
- ¿O estás dentro del sistema de otro, trabajando para que otro sea financieramente libre?

La mayoría de las personas crean un sistema de generación de ingresos automáticos llamado **jubilación.** Seguro has oído hablar de ese sistema, ¿verdad? Requiere treinta o cuarenta años de trabajo y aportes pequeños cada mes para luego cobrar en forma automática un ingreso FIJO, cuya suma dependerá de los importes o montos de esos aportes previamente realizados, que por lo general está siempre por debajo de tu nivel de vida alcanzado. Esa es una opción de creación de ingresos en automático, pero considero que es la peor de todas. La he citado para ejemplificar y aclarar un poco el panorama de los ingresos automáticos, para dejar claro que todos estamos creando algo para nuestro futuro.

Las preguntas son:

- ¿QUÉ estás creando?
- ¿CUÁNDO podrás gozar de ese flujo de ingresos automáticos que estás creando?
- ¿CUÁNDO comenzarás a recibir los pagos de esos ingresos automáticos?
- ¿Con qué FRECUENCIA vas a recibir esos pagos automáticos?
- ¿En qué NIVEL de vida te situarán esos ingresos automáticos que estás creando?
- ¿Serán suficientes para cubrir tu estilo de vida actual o para el que tengas entonces?

El plan para RETIRARSE a los 60 o 65 años de edad tiene un grave problema según mi perspectiva: habrás dedicado la mayor parte de tu vida a crearlos, y aun así, no serán suficientes los ingresos percibidos para ese momento de tu vida. Busca a tu alrededor cualquier persona que perciba una jubilación de su sistema creado y hazle estas preguntas:

¿Es esto lo que esperabas? ¿Es suficiente para sostener tu estilo de vida y proyectarte a futuro? ¿Qué cosas permite ese ingreso que hoy recibes? ¿Has podido sostener la calidad y el nivel de vida que tenías cuando eras un trabajador activo?

Crear un INGRESO en automático requiere cambiar el lugar que el dinero ocupa hoy en tu vida. La mayoría de las personas colocan el dinero por sobre todas las demás áreas de su vida. Dedican al dinero la mayor parte de su tiempo y de sus días. El dinero es el amo y señor, ya que decide qué tiempo pueden pasar en casa, y qué tiempo dedicar a otras actividades. También decide en qué tipo de lugares podrán vacacionar, cuándo podrán vacacionar, el tipo de coche que pueden comprar, la clase de vivienda a la que podrán acceder... absolutamente TODO lo maneja y decide el dinero por el cual trabajan. Estas personas generalmente no aceptan que el dinero es el amo y señor en sus vidas. Solo basta con invitarlos el lunes por la mañana a pescar o desayunar en un bonito restaurante de la ciudad y te responderán de inmediato: *"NO puedo permitirme ese gasto"*, o *"Estoy ocupado el lunes"*... ¿Dónde? En el trabajo (dinero).

La Libertad Financiera te permite poder escoger qué días trabajar y qué días no trabajar. Puedes tomarte unas vacaciones de quince días o de noventa días, que tus finanzas no se desestabilizarán, porque el dinero sigue fluyendo de manera recurrente cada semana, cada quincena, cada mes, hacia tu cuenta bancaria, incluso cuando duermes o cuando vacacionas. De lo contrario, no sería una fuente automática de generación de ingresos.

Es importante que sepas identificar el concepto de Libertad Financiera y de ingresos automáticos antes de seguir avanzando en el desarrollo del material: para eso, veamos algunos ejemplos:

- Tienes 5 apartamentos para colocar en renta o alquilar. Los ingresos que recibes al inicio de cada mes por la renta o alquiler de esos apartamentos, ¿es un ingreso automático o no lo es?

  SI / NO

- Tienes un ahorro en tu cuenta bancaria y decides cambiarlo a plazo fijo y fondos comunes de inversión, el ingreso que recibes al final de cada mes por esos fondos y plazos fijos en tu cuenta bancaria, ¿es un ingreso automático en los términos que lo estamos definiendo más arriba, o no lo es?

SI / NO

- Tienes un lavadero de ropa con dos empleados que lo manejan muy bien. Te ha tomado un tiempo montar el negocio, hacer la clientela, pero actualmente y gracias a haber formado a esos dos empleados, el negocio absorbe muy poco de tu tiempo y funciona prácticamente solo. ¿Es un ingreso automático según lo que hemos aprendido hasta aquí?

SI / NO

- Eres un profesional, atiendes en tu consultorio de lunes a viernes, seis horas cada día. Los ingresos generados en tus consultas y tratamientos a pacientes y clientes, ¿son ingresos automáticos en los términos que hemos aprendido más arriba?

SI / NO

REGLA GENERAL:

- Si requiere tu presencia física, no es un ingreso automático.

- Si necesitas estar en tu negocio cada día de la semana, no es un ingreso automático.

- Si es imprescindible tu presencia en el trabajo o negocio, no es un ingreso automático.

- Si no puede funcionar sin ti, entonces no es un ingreso automático.

La creación de varias fuentes de ingresos es la opción que yo elegí para crear y vivir mi vida. Me rehúso a llevar una vida en la que el trabajo sea el centro de la misma.

Quiero vivir mi vida completa, no vivir para trabajar. Hay más de una docena de facetas nuevas que he descubierto en mí gracias a que puedo disponer de tiempo suficiente para mi autoconocimiento y desarrollo personal. Hoy, gracias a mi tiempo libre, puedo ser más productivo para mis negocios, puedo crear proyectos nuevos cada año, puedo participar de varias empresas, puedo generar cada vez más dinero, y siempre trabajando menos o quizás la misma cantidad de tiempo. Si estás en un trabajo que absorbe todo tu tiempo, es inevitable perderte gran parte de las cosas extraordinarias que el mundo presenta, y anulas por completo aquella persona QUE PUDISTE haber sido.

Este es el camino o plan que desarrollaremos de aquí y hasta el final de la obra: cómo iniciar la creación de tu Propio Sistema de Generación de Ingresos, y que con el paso del tiempo, puedas ir dejando esos ingresos en automático.

A partir de aquí necesitas disponerte a ESTUDIAR el material y aplicar cada ejercicio adecuadamente. No se trata solo de leer. Nadie cambia su vida por solo leer un libro o conocer experiencias ajenas. Necesitas disponerte a aplicar cada concepto a tu vida, sin excusas, sin dilación, sin demoras.

No saltees ninguna parte del texto ni omitas ningún ejercicio, ya que la obra funciona como un rompecabezas que irá tomando forma a medida que desarrolles cada sección. Solo así lograremos encadenar los conceptos a tu mente, y que estos produzcan el efecto que deseamos, poniendo tu cerebro a generar las ideas que necesitas para construir y concretar el CAMINO directo a tus metas y tus sueños.

Busca las respuestas a las preguntas anteriores en nuestra página web: **www.JoseMontoya.info** ¡y no olvides descargar los e-books gratuitos!

CAPÍTULO 4

¡QUIERO GANAR MÁS DINERO!

Para crear nuevas fuentes de ingresos que fluyan hacia ti, necesitas:

- Disponer de dinero que pueda ser utilizado para generar más dinero.
- O disponer de tiempo que pueda ser utilizado para crear tu nueva fuente de ingresos.
- O, ambas (Dinero + Tiempo).

Ya te oigo desde aquí: *"José, no tengo dinero ahorrado, ni tampoco tiempo suficiente".* Entiendo eso, pero NO soy yo quien debe entender tus justificaciones, eres tú quien debe entender las cosas que necesitas cambiar para que TU VIDA funcione como esperas.

El dinero se crea a partir de la inversión de tiempo, dinero, y nuevas habilidades. Si no tienes o uno u otro, y aun así estás buscando crear una fuente de ingresos sólida, lo que pretendes entonces es MAGIA, y este no es un libro de magia.

¿Qué cambia o mejora en tu vida cuando dices: *"No tengo tiempo"*? ¿Qué mejora obtienes cuando tu postura es: *"No tengo dinero"*? ¡Nada obtienes, ni nada mejora! Por el contrario, quedas atado a tus respuestas negativas, creando así un espiral de resultados negativos. Esa limitada perspectiva de tus posibilidades actuales impedirá que pongas en marcha nuevas decisiones y acciones necesarias para mover tu economía en una dirección diferente.

Si tus respuestas son del tipo: *"No tengo dinero"*, *"no tengo tiempo"*, *"no sé hacerlo"*, *"siento algo de miedo al intentar algo nuevo"* y otras respuestas más derivadas de las anteriores, aquí termina nuestro trato, y no podré ayudarte. Si en cambio eres capaz de dar el primer paso, que implica RECONOCER tu perspectiva de limitación, entender que esas respuestas no conducen a nada, y reemplazar ese vocabulario de fracaso por un vocabulario que aliente la búsqueda de soluciones y nuevas respuestas en tu interior, recién entonces vislumbrarás una pequeña luz al final del camino.

Corrige las frases anteriores por las siguientes, y hazte el favor de repetirlas varias veces a cada una de ellas:

- "No tengo hoy el dinero, pero lo conseguiré de algún modo, aunque aún no tenga claro ni sabría cómo conseguirlo, lo haré de todos modos, pondré en práctica los conceptos aquí aprendidos y comenzaré la creación de mis nuevos ingresos".

- "No tengo tiempo, pero me reorganizaré de algún modo, aunque aún no tenga claro cómo hacerlo, recibiré los consejos de este libro para reacomodar mi rutina y hallar el tiempo necesario que requiere crear mi nueva VIDA y mis nuevos ingresos.

Puedes hacer lo mismo con cada una de tus excusas y/o justificaciones actuales.

Escribe a continuación aquellas cosas que te impiden avanzar y luego rearma el texto anterior con tu afirmación que indique LO QUE HARÁS de todos modos y en cada caso:

No puedo porque:

....

....

....

....

....

....

¿Es posible ganar más dinero?

Sería muy fácil decir: *"Quiero ganar X suma de dinero/mes"* y listo, que me paguen lo que quiero. Pero lamentablemente el sistema no funciona así.

Un pilar del éxito nos dice:

Nadie gana más allá del valor que es capaz de crear.

De una forma u otra, todos estamos creando valor y volcando ese valor en el mercado laboral y/o profesional. Entendemos mercado como los clientes a los cuales llegamos con nuestro servicio o producto, o bien nuestro empleador, a quien prestamos nuestro servicio profesional o nuestras horas de trabajo cada día. Existen dos opciones: o tienes un jefe que paga tu salario a fin de mes y a quien estas sirviendo con tu labor, o eres independiente y tienes clientes a los cuales servir con tu labor, producto o servicio.

Es necesario comprender cómo funciona ese mercado o sistema económico, para identificar cómo fluye el dinero dentro de él. El sistema siempre paga en función al VALOR que nosotros entregamos. Alguien dirá: *"Pero José... ¡yo valgo mucho más de lo que me pagan actualmente!".* Sí, claro. ¡Pero tu jefe o el mercado, no piensan lo mismo!

O no vales lo que crees que vales, o no sabes DEMOSTRAR (entregar) ese VALOR al mercado o a tu empleador de forma correcta.

El sistema nos pagará siempre en relación al valor que seamos capaces de crear y entregar al mercado, o a quien nos contrata.

¿De mano de quién recibes tu dinero?

- El empleado: recibe su dinero de manos de su empleador o empresa que lo contrata.

- El comerciante, el profesional, o un empresario: recibe el dinero de mano de clientes que consumen sus productos y/o servicios.

La mayoría de los servicios que se entregan al mercado (ya sea de mano de un comerciante, profesional, empresario o empleado), posee un valor ya definido y/o preestablecido. ¿Quién define ese valor? ¿Quién establece los precios de los servicios que prestamos, y/o de los productos que comercializamos? El mismo mercado es quien lo hace. Se llama ley de oferta y demanda. Esta ley de oferta y demanda condiciona, y también de alguna medida determina, el valor (y precio) de casi todos los servicios que prestamos y todos los productos que comercializamos.

Es por esta razón que cada uno gana dinero en base a los servicios que ha aprendido a prestar. El mercado pagará siempre en base a lo que cada servicio vale dentro de él. Esto es lo que da equilibrio al mercado y la razón por la cual el mercado es totalmente justo con cada integrante. Quien trate de recibir más dinero del establecido por el mercado para sus productos o servicios, estará con precios altos y su demanda caerá. Es decir, si yo considero que mi servicio o producto vale mucho más que el de otra empresa o persona, debo demostrar claramente cuáles atributos diferenciales poseo para permitirme cobrar ese sobreprecio. Finalmente el mercado elegirá y decidirá mi éxito o fracaso con ese valor que pretendo cobrar o ganar.

El mercado o sistema no pagará jamás un valor o precio que no sea el precio o valor de mercado. Sin importar el servicio, profesión, actividad o trabajo del que se trate, todos están dentro de la escala de precios y valores fijados por el mercado.

Averigua y completa por favor:

- ¿Cuánto gana en promedio un empleado administrativo u oficinista?

  $............/mes.

- ¿Cuánto gana en promedio un odontólogo?

  $............/mes

- ¿Cuánto gana en promedio un chofer de taxi?

  $............/mes

- ¿Cuánto gana en promedio un médico generalista?

  $............/mes

- ¿Cuánto gana en promedio un peluquero?

  $............/mes

- ¿Cuánto gana en promedio un obrero?

  $............/mes

- ¿Cuánto gana en promedio un gasista matriculado?

  $............/mes

Y así, la lista continúa con cada profesión y/o carrera: futbolista de primera liga, futbolista de segunda liga, maestro de escuela, profesor de universidad, maquinista, periodista, abogado, contador, ingeniero, psicólogo, carpintero, etcétera, etcétera ¡y más etcéteras!

Si tomáramos a todos los profesionales (de una misma profesión), de un área o rubro de actividad cualquiera, por ejemplo, todos los oficinistas administrativos, y sumáramos todos sus salarios o ganancias, para luego dividirlas por el total de oficinistas administrativos que tomamos para el cálculo, obtendríamos como resultado el promedio de ganancias de la actividad de oficinistas administrativos. Ese promedio indica cuáles son mis posibilidades económicas si yo escogiera esa actividad para hacer dinero.

La mayoría de las personas eligen una actividad sin realizar el cálculo anterior previamente. No hacerlo es un grave error, ya que quizás te encuentres trabajando o desempeñándote en una actividad que no puede darte el tipo de vida o metas que anhelas alcanzar.

Muchas personas cuentan con METAS y SUEÑOS que no se corresponden con la carrera o actividad que desempeñan, por ende nunca podrán alcanzar esos SUEÑOS.

"Pero José, hay ingenieros que ganan más que otros ingenieros, pues no todos los ingenieros ganan exactamente lo mismo". ¡Correcto! El mercado establece no un valor exacto para cada servicio, profesión o producto, sino más bien un rango de valores mínimos y máximos. Cada uno de nosotros tiene la posibilidad de modificar y ajustar su valor de mercado trabajando sobre algunas variables que nos permitirán movernos dentro del rango de ingresos de la actividad elegida.

El valor de mercado de un ingeniero, para el ejemplo, irá desde un valor X, hasta un valor Z. Siendo para todos los valores comprendidos entre X y Z el rango mínimo (X) y máximo (Z). El valor final que percibirá nuestro ingeniero, estará definido por varios factores:

1. Por el tipo de servicio que promete entregar.
2. Por el tipo de experiencias anteriores que pueda haber adquirido.
3. Por el tipo de servicio que pueda demostrar o garantizar que entregará.
4. Por su capacidad negociadora cuando es contratado.

Y muchas otras variables que definen entonces, cuál es el precio justo que el mercado está dispuesto a pagar por un individuo de esas características.

Primera conclusión: no todos tenemos el mismo valor de mercado, y nadie ganará más del valor de mercado que posee.

¿Cuánto valgo entonces o cuánto puedo ganar?

Ya aprendimos cómo cada actividad tiene un rango de valores o precios medianamente fijados, y cómo el mercado define cuánto dinero ganaremos en base a la actividad que elegimos desarrollar. **Lo que el mercado no puede definir ni condicionar es a qué actividad voy a dedicarme y de qué manera voy a realizarla.** Y aquí es donde cada uno de nosotros elige su valor y decide cuánto dinero va a ganar en base a la actividad que desarrollará, y el modo en que lo hará.

Todos tenemos un valor diferente en el mercado. Algunos valen más, otros valen menos. Algunos son capaces de incrementar poco a poco ese valor, y otros incluso han decidido llevar ese valor a cifras millonarias. Pero la gran mayoría, lamentablemente, deja que el mercado establezca su valor y no hace nada para incrementarlo.

¿Por qué debo elevar mi valor?

Aumentar tu valor de mercado es equivalente a ganar más dinero por el trabajo que haces, o ganar el mismo dinero en menor tiempo. Se trata de un principio básico de eficiencia: lograr más y mejores resultados con un mejor uso de los recursos que dispones (tu tiempo).

Lo plantearé de otra manera: si pudieras ganar el doble o el triple de lo que hoy ganas, sin dedicar más tiempo o esfuerzo extra, ¿no deberías aprovecharlo?

Si pudieras disponer de mayor tiempo para tu familia o para las cosas que te gustan, mejorando a la vez tu nivel de ingresos y logrando tus metas en menor tiempo, ¿no deberías aprovecharlo?

Quizás estés pensando: *"Y... ¿Quién no querría eso José?"*. Sin embargo, a medida que caminamos la vida, y SIN DARNOS CUENTA, vamos aceptando nuestro trabajo, amoldándonos a los ingresos que ese trabajo genera, reemplazando nuestras metas y sueños por otros más triviales o más pequeños.

¿Por qué las personas dejamos de soñar? ¿Por qué dejamos de lado nuestros sueños?

Tal vez intentaste algo antes y no salió como esperabas. O quizás cada vez que comenzaste algo no conseguiste los recursos necesarios o el apoyo suficiente para tu proyecto. Experiencias como esas provocan recuerdos y pensamientos traumáticos que conducen inevitablemente a perder la FE y CONFIANZA en nosotros mismos y en lo que hacemos. Después de un tiempo viviendo de ese modo y sin logros significativos, es lógico apagar por completo tu capacidad para crear ideas nuevas y alcanzar tus VERDADEROS SUEÑOS.

Una vez que la capacidad creativa se apaga y nos acomodamos en un rango determinado de ingresos (generalmente bajos), justificaremos nuestra realidad con frases del estilo: *"No hay oportunidades para todos"*, *"hay otros que están peor, agradezco entonces lo que hoy tengo"*, *"es culpa de la economía"*, *"es culpa del gobierno de turno o del anterior"*, *"es culpa del jefe"*, *"es culpa de los hijos que debemos cuidar y atender"*, *"es culpa de la pareja que no nos entiende ni apoya"*... y así continúa la larga y creativa lista de excusas y justificaciones para autobloquearte y quedarte estancado en una actividad de ingresos bajos, y sin hacer nada al respecto.

Conozco gente que ha llegado a un punto de descarrilamiento tal que desprecia todo lo que no ha sabido alcanzar. Es como aquel que le gusta mucho una chica y cuando intenta aproximarse a ella, resulta que la chica no le da siquiera la hora. Entonces nuestro amigo para justificar y alivianar su fracaso dice: *"Después de todo esa chica no era tan linda"*.

Lo hacemos cuando no podemos ganar más dinero. Para hacer más llevadero el fracaso financiero decimos: *"El dinero no es tan importante"*.

Lo hacemos con la salud, cuando no tenemos la disciplina para ponernos en forma, comer de manera saludable, hacer ejercicios y cuidar nuestro cuerpo. Para poder convivir con el problema y soportar el trauma decimos: *"Lo que importa es lo de adentro, no lo de afuera"*. Y así vivimos la vida degradando todo lo que no pudimos alcanzar y disminuyendo un nivel cada área en la que no logramos la conquista.

Hay quienes interpretan al éxito como algo que arruina a las personas, argumentando que el dinero es algo malo, o que vuelve mala a la gente.

Algunos justifican su falta de logros con pensamientos del tipo: *"¿Para qué ganar tanto, si cuando te mueras no te llevas nada?".* O cosas como: *"Los ricos no van al cielo",* o *"el dinero es la raíz de todos los males",* o *"el dinero no da la felicidad".*

Puede que el dinero no haga a la felicidad de una persona, pero vivir todos los días con lo justo, sin cumplir nuestras metas o alcanzar logros significativos, ¿cuánta felicidad produce? Una persona que trabaja ocho al día en promedio, está dedicando más tiempo a su trabajo y al dinero que a cualquier otra área de su vida. ¿Cómo se siente alguien así, que solo puede dar a su familia el tiempo sobrante de sus tareas laborales, en vez de tiempo de calidad y suficiente?

La capacidad más importante del ser humano es la capacidad de CREAR. Todo cuanto ves a tu alrededor ha sido diseñado y creado por alguien. Primero en su mente (idea) y luego en el mundo real (materialización de la idea). Ese mismo proceso está a tu disposición para traer tus sueños (ideas) al plano de la realidad material.

Para que este proceso comience a funcionar a tu favor, hay que darle un empujón consciente, es decir, ¡debes querer hacerlo, y debes decidir que lo harás!

El siguiente paso para iniciar este proceso de cambio en tus finanzas, es recuperar cada una de esas metas y/o sueños que has abandonado. No importa qué tan grande sean esos sueños, no importa si sabes o no crear el plan para lograrlos, ¡SON TUS SUEÑOS! Y más allá de que puedas llegar a la cima de ellos o no, el solo hecho de ponerte en carrera hará tu vida más satisfactoria. Querrás levantarte con gusto cada mañana para ir tras ellos. Trabajar por tus propios sueños genera una vitalidad y energía (hormonas) que producen procesos internos que favorecen la creatividad (tu cerebro se modifica) y empiezan a florecer habilidades nuevas tales como la capacidad para hablar de tu sueño a otras personas, el talento para enfrentar los retos y desafíos, y la destreza para resolver problemas. Esas son TODAS las habilidades que necesitas para llegar lejos.

¿Hasta dónde puedes llegar? Eso será consecuencia del desarrollo de tus nuevas habilidades: cuando estas fascinado por tus metas y tus sueños, te vuelves rápido para tomar decisiones y adaptarte a las nuevas condiciones. Todo parece más sencillo, porque estás dispuesto y feliz de hacerlo. No significa que las cosas se hicieron más fáciles, ni que las personas vayan a apoyarte ahora solo por verte feliz y con claridad en tus metas; al contrario, los que nunca te apoyaron tampoco lo harán cuando estés trabajando por tus sueños. No seas ingenuo. ¡No esperes ayuda de nadie! Haz que tus sueños dependan de ti y no de la aprobación y ayuda de alguien más. Proponte ser más rápido para resolver lo que hoy te detiene.

- ¿Qué es lo que te detiene? ....
- ¿Qué necesitas para iniciar hoy un cambio? ....
....
- ¿Qué necesitas para comenzar un camino nuevo hacia tus metas? ....
....

¡Proponte dar hoy el primer paso en esa dirección! Ya sea conseguir dinero para comenzar, ya sea reorganizarte para tener tiempo extra y dedicarlo a tus sueños, lo que sea que consideres necesario para empezar. ¡Da hoy el primer paso en esa dirección! Ponle fecha de caducidad a cada escalón, a cada problema, a cada obstáculo, y ¡RESUELVE!

Hazte la siguiente pregunta:

Si eso no sucediera, si la ayuda nunca viniera, si eso que crees que necesitas para poder empezar (el dinero, los recursos, lo que fuera que hayas escrito o pensado) nunca viviera o no sucediera, ¿cómo avanzarás de todos modos hacia tus sueños? ¿O allí se termina todo para ti?

Menos del 20% de los millonarios hechos a sí mismos consiguieron el capital, los medios, los recursos, la guía, el apoyo que necesitaban para comenzar. Los que no los consiguieron, lo hicieron de igual modo. Ese es el espíritu y la templanza de un líder. HACER, CREAR con los MEDIOS que tiene a su alcance. Y si no tiene suficientes medios a su alcance, creará desde la nada misma el camino hacia sus metas.

Cuando yo inicié mi primera empresa solo tenía dos camisas y dos corbatas que combinaba continuamente para aparentar variedad en mi vestimenta. No tenía oficina, no tenía dinero para publicidad, no tenía un producto propio, mi entorno estaba más endeudado que yo, no conseguí socio ni el apoyo de mi entorno ni el capital para comenzar como hubiera querido. Tenía una familia que alimentar y cuidar, y un empleo que consumía más de catorce horas al día. Los fines de semana, para hacer algo de dinero extra y ponerlo en mi proyecto, conducía un remís (algo similar a un taxi en mi país). Así, en esas pésimas condiciones, igualmente COMENCÉ.

Dos años más tarde ese camino fue tomando forma y se transformó en el camino de miles de personas. Hoy el proyecto cuenta con miles de asociados, miles de clientes en varios países, y en este instante, con una proyección anual superior al 200% por quinto año consecutivo. Yo solo comencé porque necesitaba ganar un poco de dinero extra, nunca estuvo en mí la intención de hacerme rico o de crear Libertad Financiera. Esos fueron conceptos que adopté y aprendí luego, a medida que avancé en el camino, y el proyecto tomó su tamaño y forma. ¿Qué quiero decir con esto? ¡Que ni siquiera necesitas tener tan claro el camino! ¡Solo comienza! ¡Solo da el primer paso!

Aquellos que esperan tenerlo todo para comenzar, NUNCA EMPIEZAN. Jamás se está listo al 100% para iniciar un proyecto o crear algo desde cero. Cuando Bill Gates (uno de los hombres más ricos del mundo) lanzó por primera vez su programa de computadoras, tuvo más de diez mil errores reportados en solo el primer año. Un verdadero desastre que le reportó ganancias extraordinarias. ¿Cuál fue su clave? ¡NO ESPERAR!

La Biblia dice que el día del fracasado es *"mañana"* o *"más adelante"*.

¡Empieza HOY! ¡RESUELVE tu primer paso AHORA! Empieza, y ante cada situación que se presente, se tú más GRANDE y FUERTE que ella. Que nada te detenga. **¡CREE realmente que PUEDES HACERLO!** Mira el sueño con claridad y convéncete de que PUEDES lograrlo, ¡es tu responsabilidad!

Puedes tener un sueño fantástico, pero si NO crees que eres capaz de lograrlo, ese sueño nunca se hará realidad. No porque tu SUEÑO sea imposible, sino porque tu manera de pensar actual imposibilita la viabilidad de tu sueño. Esta es la diferencia entre el soñador que simplemente sueña, y aquel que ve sus sueños convertirse en realidad.

Convencerte de que eres capaz de hacer realidad tu sueño o meta puede ser la parte más difícil del proceso. Pero no te preocupes, porque este material, a medida que lo estudies y vayas completando cada consigna, hará que tu cerebro se expanda y logres un nuevo nivel de seguridad y confianza personal, en tu capacidad para ACTUAR en dirección a las cosas que anhelas alcanzar.

¿Cuál es la diferencia entre quienes logran llegar lejos y quienes no?

Quien tiene éxito cree convencidamente en su capacidad para hacer realidad su sueño, y trabaja con decisión para elevar su capacidad y sus habilidades, aumentando la probabilidad de materializar sus sueños al máximo. Mientras que aquellos que no llegan a ninguna parte, al no sentirse capaces de ir a la conquista de sus metas y su sueños, justifican la inviabilidad de sus metas buscando y creando un sinfín de pensamientos y razones para no actuar.

Un pilar del éxito nos dice:

No existe diferencia física entre quienes fracasan y los que tienen éxito. La diferencia es simplemente interna (mental).

Ejercicio

Tómate unos minutos en este momento. Relájate... no te apresures a leer. Sé consciente de lo que estamos aprendiendo, respira profundo y relajadamente dos o tres veces y luego realiza este ejercicio (es importante estar plenamente relajado para que tu cerebro pueda recorrer las imágenes mentales que buscamos):

Imagina que llegas al último día de tu vida... Estás ahí, después de haber recorrido toda tu vida, y se te permite ver una película que proyectará todo lo que has hecho en ella. La película está allí, lista para ser proyectada, y contiene todo lo que lograste, todo lo que fuiste y todo lo que hiciste mientras estabas con vida.

Inmediatamente después se proyecta también, la película de lo que HUBIERA sido tu vida, y todo lo que HUBIERAS logrado de haber vivido SIN EXCUSAS y sin tantos MIEDOS. Esta segunda película mostrará cómo hubiera sido tu vida si no hubieras pospuesto aquellas DECISIONES IMPORTANTES que debiste tomar.

Trata de visualizar un poco ambas películas y luego responde:

- ¿Hay diferencias entre una película y la otra? ....
....

- ¿Fuiste una persona común, sin logros importantes?
....
....

- ¿O te saliste de las reglas y fuiste alguien DIFERENTE? ¿Diferente en qué? ....
....

- ¿Qué hubiera sido de tu vida de haber desarrollado esas ideas que tenías? ....
....

- ¿Qué hubiera sido de tu vida si hubieras tomado aquella decisión a tiempo? ....
....

- ¿Qué hubiera sido de tu vida si te hubieras puesto de lleno a trabajar en eso que se presentó? ....
....

- ¿Qué hubiera cambiado en tu vida si no te hubieras casado con él o ella? ....
....

- ¿Qué hubiera sido de tu vida si hubieras terminado con esa relación de pareja que no marchaba bien y que por miedo sostuviste tanto tiempo? ....

....

- ¿Qué hubiera sido de la vida de tus hijos si hubieras enfrentado tus miedos? ....

....

- ¿Cómo hubiera sido esa película de tu vida si te hubieras rodeado de OTRAS personas? ....

....

- ¿Cómo hubiera sido esa película de tu vida si NUNCA hubieras puesto excusas de ningún tipo a la hora de ir por tus SUEÑOS? ....

....

- ¿Cómo hubiera sido esa película de tu vida si hubieras dedicado más tiempo a tu familia y a las cosas que te hacen bien? ¿Hubieras sido más feliz o más pleno/a?

....

- ¿Cómo hubiera sido tu vida si hubieras actuado sin pensar tanto en el dinero? ....

....

- ¿Cómo hubiera sido esa película de tu vida si hubieras actuado sin pensar en el qué dirán, en la vergüenza, en la crítica, o en la aprobación de los demás? ....

....

....

- ¿Cómo te sentirías hoy si hubieras dicho más veces a lo largo de tu vida TE AMO a tus padres, a tus hijos, o a tu pareja? ....
....

Cierra el libro un momento y reflexiona AHORA sobre estas doce preguntas.

Los próximos 12 días, lee cada mañana estas preguntas o pensamientos y medita sobre cada uno de ellos. De a uno cada día. Solo tú y la consigna, en un lugar totalmente a solas, donde puedas meditar en absoluto silencio y buscar las respuestas correctas en tu interior. ¿Podrás hacerlo? Créeme, encontrarás las respuestas en ti si les das el marco y tiempo adecuado a cada una de ellas para permitir a tu corazón y a tu cerebro trabajar en forma conjunta y relajada de modo que puedan hallarlas. Las necesitas para poder continuar el proceso de creación de una VIDA más FUERTE y más GRANDE para ti y las personas que te rodean.

Que sean 20 minutos, o 30 minutos o 2 horas. No importa, que sea el tiempo que necesites, cuando estés solo/a y relajado/a, sin nada ni nadie que interrumpa.

Es importante que lo hagas de la forma planteada para que el ejercicio tenga efecto en tu subconsciente, ya que es allí donde deben NACER los cambios que tu vida necesita hoy. Solo por medio del pensamiento reflexivo aparecerán poco a poco las ideas que permitirán achicar esas diferencias entre una película y la otra, entre lo que es hoy tu vida y lo que realmente quieres que sea.

Este solo ejercicio, si lo haces bien y te tomas el tiempo de reflexión diario que requiere, aportará un gran valor a tu vida para que el día de mañana, cuando te toque correr la PELÍCULA de TU VIDA, no tengas demasiados arrepentimientos, sino por el contrario, muchas cosas por las cuales estar feliz y orgulloso de quien eres, de la vida que viviste y de los logros que alcanzaste para ti y para los demás.

Escribe:

- ¿Qué te gustaría que suceda en tu vida en los próximos meses?

....

....

....

- ¿Qué te gustaría que suceda en tu vida dentro de un año?

....

....

....

Un pilar del éxito nos dice:

No importa dónde estás HOY, lo que importa es la dirección que tomes a partir de HOY.

Por favor, ve a mi página web: **www.JoseMontoya.info**, busca la sección "La película de tu vida" y comparte conmigo la reflexión que hayas elaborado sobre esta lectura.

CAPÍTULO 5

EL DINERO NO ES TODO, SIEMPRE QUE HAYA BASTANTE

La excepción a la regla: el repostero millonario

Quiero hablarte de una persona de quien aprendí mucho. A efectos de poder contar su historia, le cambiaremos el nombre, pero los detalles los dejaré intactos con su entero consentimiento. Le llamaremos Ana.

Ana es repostera. Aprendió la profesión para poder hacer algo en su casa y ayudar a su esposo con la economía del hogar.

La historia de Ana es fascinante ya que es de esas que INSPIRAN a muchos a dar el PASO inicial. ¡Actualmente Ana no trabaja y gana cientos de dólares desde su casa!

Metámonos en el caso de ella: ¿cuánto gana un repostero/a promedio? Todos conocemos algún repostero/a de confianza a quien solicitamos las exquisitas tortas y/o masas finas para las fiestas y/o cumpleaños. Las preguntas son:

- ¿Posee una HABILIDAD especial el repostero/a?

Sí, claro, ¡la repostería!

- ¿Se hacen millonarios estos reposteros/as?

La respuesta es "NO". Tampoco se hacen libres financieramente en los términos que hemos aprendido, ya que deben poner su tiempo en cada labor o proyecto, ¿correcto?

Vamos con otra pregunta, que espero respondas antes de avanzar con la lectura:

- ¿Cuál es la razón por la cual el repostero/a promedio no alcanza su Libertad Financiera?

....

Pues, otra vez, es el mercado quien decide y pone precio a su habilidad.

Pondré números a modo de ejemplo:

Actividad: repostería.

Percibes $100 por cada kilo de torta o masas que se preparan. ¿Cuánto producto (kilos de tortas y/o masas) puedes preparar y entregar por hora?

Esto define cuánto será tu ingreso/hora.

Ahora bien, olvidemos por un momento el repostero tradicional, a quien llamaremos repostero A. El repostero A es ese que elabora masas y/o tortas de cumpleaños para unas pocas personas cada fin de semana.

Y presentemos ahora al repostero B. EL repostero B, al igual que el primero, es muy bueno en lo que hace, a sus clientes les fascinan sus masas finas y tortas, pero la DIFERENCIA con el repostero A es que B ha sabido armar un SISTEMA para explotar/trabajar su habilidad.

Nuestro repostero B ha logrado ahorrar algo de dinero, contratar un local, ubicarlo en la zona adecuada, diseñar un método apropiado de publicidad, y así ha dado inicio a un negocio muy lucrativo de venta de masas finas y tortas. Sin dudas, el repostero B tiene muchas más posibilidades que el A, que simplemente llega con sus ricas tortas y masas finas a amigos y/o conocidos los fines de semana.

Este segundo repostero a diferencia del primero, cuenta con la misma habilidad, pero la ha puesto a funcionar dentro de un esquema o sistema de negocios que le permite llegar a más personas con su producto y servicio. Esta es una segunda HABILIDAD (la habilidad comercial / la habilidad del comerciante) que no es más que un método para entregar MAYOR valor al mercado, o llevar el mismo valor (precio por kilo de torta), a mayor cantidad de gente (mayor cantidad de clientes) en el mismo tiempo.

Veamos el tercer caso, el de mi amiga Ana, repostera también, quien ha decidido elevar su valor en el mercado con su propio sistema de entrega de tortas de repostería.

Ana, además de ser repostera (su primera habilidad) y montar su propio negocio (segunda habilidad, la habilidad del comerciante), desarrolló una tercera habilidad (la habilidad del empresario), que es la habilidad de automatizar el negocio e insertarlo en un sistema de franquicias que pueda duplicarse y generar ingresos residuales sin necesidad de que ella esté en el negocio trabajando todo el día.

Ana confiesa que se inspiró en un programa de televisión sobre repostería, y que cuando comentó la idea entre sus familiares y amigos, todos le dijeron a una sola voz: *"Estás loca Ana"*, *"mucha gente hace y vende tortas"*, *"mucha gente ya lo ha intentado y no le funcionó"*, incluso le citaron una docena de casos cercanos de personas amigas que también elaboran ricas masas y tortas los fines de semana. Sin embargo, Ana supo hacer oídos sordos a los consejeros cercanos y puso manos a la obra. ¡Se permitió soñar en grande pese a no tener apoyo de su familia, ni los recursos suficientes para comenzar! Mientras trabajaba de empleada a tiempo completo en un local comercial, Ana desarrollaba su sueño en su tiempo libre después del trabajo, preparando masas y tortas para vender a su círculo de conocidos y ahorrar así el dinero necesario para su primera tienda de repostería en la zona que había elegido. Después de abrir y sortear los obstáculos típicos de todo negocio inicial, Ana completa la habilidad del comerciante y ahora se dispone a desarrollar la habilidad del empresario, clonando su sistema de trabajo y entregas en otras personas/sucursales.

El primer paso de Ana no fue poner su local, no fue contratar empleados, no fue buscar la mejor agencia de publicidad de la ciudad para que manejara sus redes sociales y llevara clientes de forma recurrente y diaria a su negocio. NO. Todo eso sucedió luego. El primer paso fue trabajar algunas horas de más haciendo masas y tortas en su casa, separar un poco de dinero (ahorros) y entender que ese dinero debía ser utilizado para hacer más dinero. ¿Repetimos? Hay que entender que parte de tu dinero debe ser usado SIEMPRE para hacer más dinero.

Cuando observamos las tres opciones de nuestros tres reposteros, el costo por kilo de torta no cambió (1 kilo = $100 para los tres casos) pero la diferencia entre uno y otro viene dada por:

1. La cantidad producida de masas o productos de repostería cada día.
2. La cantidad de clientes a los que cada uno sirve o atiende cada día.
3. La cantidad de productos vendidos por día.
4. El esquema bajo el que trabaja, proyecta, y vende cada uno.

La habilidad para los tres es la misma, pero las ganancias, los resultados y las proyecciones, son muy diferentes. ¡Asombrosamente diferentes! De los tres reposteros, Ana lleva el mismo valor al mercado que los otros dos, pero lo hace a una porción mayor del mercado y en menor tiempo.

Si te interesa profundizar más sobre el caso de Ana o aprender sobre sistemas de franquicias, ve a nuestro sitio web: **www.JoseMontoya.info**. Allí te mostraré además otros sistemas, y los pasos que debes seguir para crear tu propio sistema y explotarlo. O si ya tienes uno, aprenderás cómo ESCALARLO a un nivel mayor.

¡Te espero en la web!

CAPÍTULO 6

¿CÓMO VALER MÁS?

UNO: ¡Mejora lo que haces!

Tienes que hacer ALGO (tu actividad, habilidad, servicio o profesión) de forma tal, que puedas decir con total seguridad: *"Nadie lo hace mejor que yo".* Y el camino para lograrlo es poder responder positivamente TODOS LOS DÍAS, a las siguientes preguntas:

- Hoy, ¿qué he aprendido, incorporado, practicado, agregado, modificado, para ser mejor que ayer?

   ....

   ....

- Hoy, ¿di todo lo mejor de mí en cada cosa que hice, o podría haberlo hecho mejor?

   ....

   ....

- ¿Impacté y dejé sorprendida a cada persona que crucé en mi camino hoy, sea un cliente, un proveedor, un jefe, un compañero, un colega, un amigo, la pareja, los hijos... Los he sorprendido HOY con mi trato y forma de ser y servirles?

....

....

- ¿Qué aprendí de nuevo hoy y cuánto mejora eso mi habilidad en el trabajo o profesión?

....

....

- ¿Qué aprendí o implementé de nuevo hoy que aumentó la productividad trabajo y/o de mi actividad?

....

....

- ¿Qué cambios haré mañana para seguir mejorando e impactando al mercado (mis clientes o empleador) con mi actividad?

....

....

- ¿He analizado, estudiado, leído o consultado hoy a otras personas que ya están donde yo quiero llegar? ¿Qué aprendí de ellos? ¿Cómo aplicaré mañana mismo lo aprendido hoy de cada uno de ellos?

....

....

- ¿Me encuentro leyendo, estudiando y analizando los casos de éxito que deseo imitar o alcanzar? ¿Cuáles son? ¿Qué aprendí de ellos? ¿Cómo lo estoy implementando?

....

....

- ¿He conversado con mi jefe (en caso de ser empleado) sobre las expectativas que tiene sobre mí? ¿Estoy en el camino correcto para alcanzarlas y superarlas? ¿En qué tiempo?

   ....

   ....

- ¿He conversado, entrevistado, encuestado a mis clientes y empleados (en caso de ser comerciante o empresario) para asegurarme que he cumplido sus expectativas con mis servicios y/o productos?

   ....

   ....

- ¿Quiénes son los 10 referentes de tu actividad o profesión con quienes podrías comparar tus logros, o que consideras que son mejores que tú en lo que hacen, o que ocupan una posición a la que aspiras, y que son dignos de admirar y observar para aprender de ellos? ¿Quiénes son? Puedes anotar 10 nombres a continuación?

Escribe sus nombres, y la habilidad que ellos tienen que a ti te gustaría COPIAR/IMITAR. Una vez que lo hagas, elabora un plan de 90 días para trabajar esas diez habilidades nuevas que deseas incorporar a tu vida, y dedica de forma consciente tiempo a cada una de ellas.

Nombre:

....

Habilidad o cualidad que admiras y vas a imitar:

....

Nombre:

....

Habilidad o cualidad que admiras y vas a imitar:

....

Nombre:

....

Habilidad o cualidad que admiras y vas a imitar:

....

Nombre:

....

Habilidad o cualidad que admiras y vas a imitar:

....

Nombre:

....

Habilidad o cualidad que admiras y vas a imitar:

....

Nombre:

....

Habilidad o cualidad que admiras y vas a imitar:

....

Nombre:

....

Habilidad o cualidad que admiras y vas a imitar:

....

Nombre:

....

Habilidad o cualidad que admiras y vas a imitar:

....

Nombre:

....

Habilidad o cualidad que admiras y vas a imitar:

....

Nombre:

....

Habilidad o cualidad que admiras y vas a imitar:

....

Si puedes seguir el plan durante los próximos 90 días e incorporar esas cualidades que hoy dices NO tener y que admiras en estas personas que han llegado más lejos que tú, en 90 días será increíble y muy notorio tu cambio. ESTE es el inicio de un nuevo NIVEL de habilidad para tu profesión y/o actividad. Asegúrate que las cualidades elegidas reúnan dos requisitos:

1. Que sean todas necesarias e importantes para mejorar tu VALOR en el mercado. ¿Incrementan tu valor realmente?

2. Que seas capaz de imitarlas desde el primer día.

Al inicio tendrás que esforzarte para imitar esas cualidades, ya que no son parte de tu personalidad. No son tuyas, no las posees. Pero si te esfuerzas en imitarlas CADA DÍA, durante un lapso no menor de 90 días, luego pasarán a ser parte de ti y podrás incluso darles tu toque especial y distintivo al final del proceso.

Revísalas de nuevo una por una, y si es necesario borra y corrige lo que haga falta.

Si en alguno de los nombres o personas elegidas te cuesta hallar la habilidad o talento que deseas imitar, es porque esa persona no debe ser parte de tu lista. Busca otro referente que realmente tenga cualidades y/o habilidades que tú desees incorporar y que harán mejorar tu vida, tu negocio, tu actividad económica.

Es válido escribir habilidades que tal vez no sean tan evidentes en los nombres que hayas elegido, pero que tú supones que sí las tienen. Más allá de que esa persona tenga o no esa habilidad o cualidad, si tú supones que cuenta con esa cualidad y que es buena para tu negocio, tu trabajo o tu carrera, la escribes y te aseguras incorporarla a tu vida.

Un pilar del éxito dice:

Si no hay nada para mejorar, significa que no te estás retroalimentando bien.

Si no mejoras y superas continuamente, alguien, en otro lugar, sí lo está haciendo, y en cualquier momento aparecerá y te superará.

No importa la actividad o tipo de profesión o trabajo que hagas. Quizás seas cocinero, taxista, conferencista, mozo, médico, contador, comerciante, animador, periodista, empresario... Siempre se puede mejorar lo que haces, siempre se puede brindar un mejor servicio, confeccionar un mejor producto, trabajar con mayor eficiencia, incrementar las ventas, disminuir los costos, llegar a más clientes, mejorar la retención de clientes existentes, conseguir un mejor trabajo, ¡todo es mejorable SIEMPRE, SIEMPRE SIEMPRE!

Si alguien dice: *"Esto no, no puede hacerse mejor"*, o *"esto no, no puedo hacerlo mejor"*, lo único que está haciendo es justificar su estancamiento. Escucharás eso a menudo de personas que siempre están en el mismo lugar o mismo nivel económico. Independientemente de si ese nivel es bajo, medio o alto, se habrán estancado y ya no podrán seguir creciendo, a menos que incorporen MEJORAS en sus procesos y en sus vidas.

La cultura empresarial japonesa pregona el siguiente concepto: para triunfar a lo grande, no siempre se necesitan ideas nuevas. Puedes mejorar las ideas, formas, procesos, servicios, productos ya existentes, a tal nivel, que tú y/o tu servicio logren un mejor posicionamiento y sean más elegidos por el mercado (clientes).

No es casual que las personas que resaltan en sus industrias o en sus campos de actividad, son aquellas que encuentran mejores maneras de hacer las cosas. Siempre que lo hagas a un nivel que llame la atención (¡que otros lo noten!), y que sepas comunicar (mostrar) esa mejora a tu público (a tu empleador, a la empresa que te contrata, o a tus clientes en caso que seas independiente), encontrarás alguien dispuesto a pagar MÁS por tu servicio DIFERENCIADO. Eso es elevar tu valor en el mercado.

También aumentas tu valor al entrenar más, al practicar más, al trabajar más, al estudiar más, al leer más, y al abocarte seriamente a tu crecimiento. Son pocas las personas que tienen entre sus prioridades la mejora constante y el dedicarse a su crecimiento de forma permanente.

Si el crecimiento no está programado y debidamente planificado, si por el contrario, es algo casual en tu vida, cuando te topas con un libro o cuando descubres algo nuevo, así será tu vida económica: casual y sin constancia.

Escribe tres cosas que puedas mejorar o hacer esta misma semana, para ser y verte mejor en lo que haces:

a) ....

b) ....

c) ....

Escribe tres cosas que de lograrlas o implementarlas, tu empleador (si eres empleado) o tus clientes (si tienes tu negocio propio), quedarán fascinados contigo y/o tu servicio:

a) ....

b) ....

c) ....

¿Podrás comenzar su implementación ahora mismo?

Frases y pensamientos a eliminar

- *"Así lo he hecho siempre".*
- *"Es así, como está ahora, como funciona mejor".*
- *"¿Para qué reinventar la rueda?".*
- *"No, no hay otra manera de hacerlo mejor".*
- *"Esto no puede hacerse mejor".*
- *"Lo hicimos lo mejor que pudimos".*

DOS: cambia el camino (manera o método) en que llevas tu habilidad o servicio al mercado.

¿Recuerdas a Ana, la repostera? Ella diseñó un método o manera diferente al resto de los reposteros para poder llevar su servicio de un modo más eficiente al mercado.

Muchas personas tienen un gran valor para entregar (por ejemplo: mucha capacidad o habilidad en algo específico, o un excelente servicio/producto) pero no saben llevar o conducir ese valor al mercado de forma correcta.

Quizás seas muy bueno en lo que haces, buen conductor, buen cheff, buen administrador, excelente animador, buen médico, buen atleta, o simplemente eres muy responsable en lo que haces y te adaptas con facilidad a las exigencias de tu trabajo y a los desafíos de tu cargo, pero estás llevando tus servicios (y tu tiempo) al mercado de la forma incorrecta.

Si eres EMPLEADO y trabajas para otro:

-Puede suceder que en tu empleo no exista una buena política de ascensos que permita crecimiento y desarrollo acordes a tus expectativas.

-Quizás debas buscar una empresa que esté dispuesta a pagar más por tu trabajo, o que cuente con un plan de escalonamiento que permita desarrollarte al nivel de tus expectativas.

-Quizás sea este el momento de independizarte y/o comenzar a trabajar por tu cuenta creando un ingreso acorde a lo que consideras que deberías estar recibiendo.

SI trabajas INDEPENDIENTE o por CUENTA PROPIA:

— Puede suceder que el negocio que estás haciendo no sea tan rentable como era antes, o como tú creías que lo era.

— Quizás tengas un excelente servicio y seas muy profesional en lo que haces, pero estás promocionando (comunicando tu producto/servicio u oferta comercial) de forma escasa o incorrecta, ante un público también equivocado o que no puede pagar por tu servicio los valores que tú deseas.

— Quizás seas muy hábil en lo que haces pero cuentas con socios en tu proyecto que no están al mismo tono de tu visión y compromiso. Es probable que debas evaluar el asociarte con personas nuevas, o lanzarte por tu propia cuenta, o reorganizar tu profesión y buscar ayuda para que alguien pueda asesorarte y mejorar el sistema de promoción y venta de tus servicios.

TRES: cambia de actividad o incorpora una nueva

Miles de personas pasan sus vidas enfrascados en una actividad o empleo sin cuestionar los resultados que están obteniendo con esa actividad:

- ¿Hace cuánto trabajas en tu actividad o profesión actual?

  ....

- ¿Cómo te ha ido el último año en esa actividad?

  ....

- ¿Has tenido suficiente progreso y ahorros con esta actividad?

  ....

- ¿Has logrado las cosas que quieres con esa actividad?

  ....

- ¿Recomendarías esa actividad a tus hijos?

  ....

Las preguntas anteriores nos ayudan a poner en evidencia lo que pueda estar sucediendo con nuestra actividad. Existen muchas carreras, profesiones, negocios y empleos de todo tipo allá afuera, sin embargo, la mayoría de ellos están descartados para alcanzar las metas que buscamos.

Puede suceder que:

— Para el tipo de empleo o trabajo que realizas, exista demasiada mano de obra a disposición, lo cual baja el valor de mercado de tu actividad o profesión.

— El rubro al que tu negocio pertenece ya pasó de moda, lo cual te ubica frente a una demanda baja de tu producto o servicio. Si los clientes son escasos, el producto tiende a desaparecer.

— El mercado en el que trabajas u operas, ya pasó su etapa de crecimiento, hay demasiados haciendo u ofreciendo lo mismo, lo cual hace muy costoso tu accionar publicitario, y/o tu esfuerzo para hallar nuevos contratos o nuevos clientes. Una situación así te coloca ante ganancias escasas y bajas.

— Tu carrera o profesión está regulada sindical o legalmente de forma tal que hay un tope de ingresos o ganancias que puedes obtener dentro de esa actividad que desempeñas.

— El puesto o cargo que ocupas no es un puesto de relevancia dentro de la empresa donde te desempeñas, como consecuencia, la remuneración obtenida es baja, con algunas mejoras diminutas cada año.

En base a lo anterior, responde las siguientes preguntas:

• ¿Qué proyección tiene tu actividad actual?

....

• ¿Cuánto es lo máximo que se puede ganar trabajando en esa actividad?

....

- ¿Cuánto ganan otras personas que llevan más tiempo que tú en esa misma actividad?

....

Conocer cuánto ganan otras personas que desarrollan tu misma actividad, permite conocer el potencial de ingresos futuros y qué es lo máximo que podrías llegar a conseguir (económicamente hablando) en esa actividad o rubro.

Saber cuánto ganan y qué resultados alcanzaron otras personas que llevan más tiempo que tú en la misma actividad o profesión, puede darte un indicio claro de dónde podrías llegar o estar en el futuro, si continúas en la misma actividad que ellos.

Puede que descubras que tu actividad no produce ingresos suficientes como para hacer realidad tus metas o expectativas futuras.

Un pilar del éxito nos dice:

La actividad que elijas se convertirá o no en puente a tus metas y tus sueños.

Dicho de otra forma: la actividad que elijas debe tener potencial de crecimiento y desarrollo acorde a los ingresos que necesitas generar para hacer cumplir tus sueños y tus metas. Tu actividad condiciona el tipo de metas y sueños que podrás alcanzar en el futuro.

Elegir la actividad que va ocupar gran parte de tu tiempo, elegir el medio con el que vas hacer realidad tus sueños, ¡es la elección más importante de la vida!

Quedarte con una profesión simplemente porque eso es lo que estudiaste, o porque eso es lo que hiciste siempre, o porque tus padres influenciaron en esa elección, es autosabotearte económica y profesionalmente.

Permanecer en una actividad o profesión que impide tu progreso no solo impedirá el logro de tus metas sino también tu desarrollo personal, el equilibrio en tu vida y finalmente tu bienestar general, y tu felicidad. ¡Es demasiado, lo que está puesto en juego!

¿Cómo puede ser feliz alguien que no avanza en la dirección de las cosas que quiere?

Miles y miles de personas pasan la vida buscando aquello que quieren en el lugar equivocado, en una carrera o en una profesión totalmente incoherente o descartada para crear el estilo de vida y sueños que anhelan vivir.

Mi actividad, profesión o negocio es: ....
....

Describe cómo son y cuánto ganan las personas que llevan más tiempo que tú en la misma actividad que hoy desempeñas. Elige personas que conoces, cercanas a ti, para que puedas tomar referencias CORRECTAS de situaciones CONCRETAS y REALES.

Escribe a continuación el nombre de personas que conoces, que llevan más tiempo que tú en la misma actividad, negocio, ocupación, empleo, área, empresa, puesto:

1. ....
2. ....
3. ....
4. ....
5. ....

6. ....

7. ....

8. ....

(Si tienes más nombres, agrégalos en tu cuaderno de notas).

Describe ahora los detalles de la vida de cada una de las personas que has identificado arriba: el tipo de vivienda que ellos tienen, el barrio o zona de la ciudad en que viven, el tipo y modelo de vehículo que manejan, la clase o categoría de escuela para sus niños, los ingresos que estimas ellos promedian, los lugares en que veranean, el tiempo que dedican a sus familias, los deportes que practican, sus pasiones, sus aficiones, el modo en que ayudan a sus pares y a la sociedad o comunidad donde viven, etc. Describe todo cuanto puedas acerca de sus vidas y situación económica. Incluso, para hacer más acabado el ejercicio, si son allegados a ti o personas cercanas, podrías invitarles un café para hacerles algunas preguntas como:

— ¿Hace cuánto tiempo están viviendo en el mismo sitio?

— ¿Han intentado metas mayores? ¿Por qué no las alcanzaron?

— ¿Están satisfechos con su trabajo y hasta donde han llegado?

— ¿Recomendarían su misma actividad o trabajo a sus hijos?

— ¿Usan tarjetas de crédito? ¿Por qué las usan? ¿El dinero no les alcanza sin ellas?

— ¿Con qué nivel de ahorros cuentan?

— ¿Poseen ingresos pasivos (sin necesidad de trabajar)? ¿ En qué nivel están esos ingresos?

— ¿Qué nivel de endeudamiento poseen? (Sé cuidadoso/a al preguntar, la mayoría de las personas son celosas con sus finanzas y no quieren hablar de dinero. La gente tiende a esconder sus problemas y aparentar que todo marcha bien. Si no tienes la confianza total de ellos, van a responderte verdades a medias).

Después de completar la descripción y respuestas anteriores, reflexiona sobre ellas y luego responde:

- ¿Ese es el estilo de vida que quieres lograr, el que ellos tienen?

  ....

- ¿Así es como piensas pasar tu vida, como ellos?

  ....

- ¿Ese es el gran futuro que te espera por delante?

  ....

- ¿Esa es la vida que quieres dar a tu familia?

  ....

Pilar del éxito:

La perseverancia es una gran virtud, pero puesta en el sitio equivocado arruina tu vida por completo.

CAPÍTULO 7

¿CUÁL ES LA VIDA QUE QUIERES VIVIR?
TU MAPA DE RUTA

Pocas personas diseñan de forma correcta el estilo de vida que quieren llevar o vivir. La consecuencia de esa falta de diseño o de una planificación errada, es una vida llena de desequilibrio, metas incumplidas y sueños olvidados. La amargura se hace más profunda a medida que llegamos al final de nuestra vida, ya que el peso de los sueños incumplidos suele tomar forma de tristeza e infelicidad (lo que pudo haber sido, y no lo fue).

Describe (diseña) en el espacio de abajo, el estilo de vida que quisieras vivir y/o alcanzar. Sé lo más exacto posible en la descripción. Son muy importantes los detalles que describas, por ejemplo:

– Tu casa o vivienda: ¿en qué barrio exactamente la quieres?, ¿cómo será su fachada, tipo de materiales y sus colores?, ¿cuál será el tamaño exacto de cada ambiente?, ¿cuántas habitaciones?, ¿hay habitaciones en suite?, ¿cómo es tu vestidor?, ¿qué tamaño tiene?, ¿cómo es la ducha de cada uno de los baños?, ¿todos los baños llevan ducha?, ¿cómo es la cocina?, ¿qué medidas tiene?, ¿cómo es la mesada?, ¿cómo será la distribución de los muebles y de qué tipo o marca?, ¿cómo será el garaje?, ¿y para cuántos vehículos?, ¿habrá sala de juegos para los niños, biblioteca o despacho para tu trabajo, o ambos?, ¿hacia dónde mirarán las ventanas de tu nueva casa?, ¿de qué lado de tu nueva casa se pondrá el sol?, ¿cómo será el jardín?, ¿y la pileta?, ¿será con agua climatizada, será cubierta o será abierta?, ¿tendrá jacuzzi o hidromasaje?. Y así... Toma el tiempo suficiente para pensar y diseñar cada detalle de la casa o vivienda que quisieras construir. ¡Sé preciso/a y bien detallista!

Una vez que lo hayas hecho con tu casa, continúa con el resto de las áreas que deseas conquistar, mejorar, y/o alcanzar:

- ¿Qué tipo de coche o auto quisieras conducir?
- ¿A qué escuela enviarás a tus hijos?
- ¿En qué lugares vacacionarás con tu familia?
- ¿Tu pareja, tendrá su propio vehículo o lo compartirán?
- ¿Cuánto dinero ahorrado (para emergencias) te hará sentir seguro?
- ¿Cómo y dónde quieres que vivan tus padres?
- ¿Querrás ayudar a tus padres? ¿Querrás ayudar a otras personas? ¿Cuánto dinero será suficiente para poder hacerlo?

Agrega arriba, tantos ítems o áreas como quieras. Mientras más aspectos de tu vida diseñes, más aproximada será la realidad que luego puedas empezar a crear o construir.

Un pilar del éxito nos enseña:

Para cada META o SUEÑO que deseamos alcanzar, existe un PLAN exacto que lo puede hacer realidad.

IMPORTANTE:

— Si la META es ambigua o poco clara, el PLAN también lo será.

— Si no existe la META, tampoco existe el PLAN.

Tener trabajo o actividad no significa que tengas un plan. Como así también tener un sueño o una meta, no significa que tengas el plan exacto para lograrlo o alcanzarlo, ni que te encuentres trabajando en ello. **Cada META requiere su propio PLAN.** Ya profundizaremos más adelante en ello.

Demos un paso más, en la descripción de tus METAS:

El ejemplo que dimos antes empieza por la vivienda (casa), pero debes hacerlo con todas las demás áreas de tu vida, materiales y no materiales. También debes hacerlo con tus SUEÑOS, como por ejemplo: ser bailarín, ser actor, ser músico o cantante, todas son metas y/o sueños que deben ser descriptos con exactitud para luego poder dar inicio al proceso creativo de esa meta.

MI NUEVA CASA:

....

....

....

....

....

....

....

....

....

....

....

....

....

Continúa en una carpeta o cuaderno aparte, para que así puedas ser lo más detallista posible en cada área o aspecto de tu vida. Dedica a este punto el tiempo suficiente. Es importante lograr una imagen clara de lo que deseas construir y crear para tu vida. Este es el punto de partida de todo lo que viene a continuación.

No te limites solo a escribir o describir por escrito. Utiliza fotografías de Internet o de revistas que puedas bajar y/o recortar. Por ejemplo, si el sueño o meta fuera realizar un viaje, busca fotografías del sitio o lugar al que pretendes viajar. Si el sueño o meta fuera un modelo determinado de vehículo, busca una fotografía del mismo y colócala en un lugar donde todos los días puedas verla.

Volvamos al ejemplo de la vivienda: busca fotografías de otras viviendas, o de los ambientes que deseas recrear en tu nueva casa, tipo de amueblamiento que deseas diseñar o adquirir, tipo de coche, actividades, etc. Visita el barrio en el que deseas vivir, toma algunas fotografías de la zona, los espacios verdes, las viviendas ya construidas, y agrégalas a tu carpeta de trabajo. Hazte una idea bien acabada de cómo sería vivir allí. Si pudieras incluso conversar con algunas de las personas y/o propietarios del lugar, podrás tomar y sacar información muy provechosa para tu planeación. Puedes decirles algo como: *"Estoy planeando mudarme de zona, ¿qué recomendación me puedes dar sobre este lugar?"*. Encontrarás mucha gente deseosa de conversar, darte algunas perspectivas de la zona, compartir alguna experiencia quizás, y hasta quién sabe, tal vez encuentras una relación nueva para tus proyectos.

No avances al siguiente punto hasta completar tu carpeta o cuaderno con el diseño y detalle minucioso de cada una de tus METAS y áreas en las que nos enfocaremos de ahora en más. Luego, responde:

Punto 1: ¿Cuánto dinero necesito para adquirir esa casa, ese auto, y/o los bienes materiales descriptos?

Averigua el costo de adquirir/comprar o construir el tipo de casa que has descripto. Averigua el costo del coche o vehículo que has descripto, averigua el costo de todo el mobiliario, más todos los elementos económicos y/o materiales que hayas agregado en tu descripción anterior.

Coloca ese número o importe (VALOR TOTAL) aquí:

$ ....

Este es el importe o dinero que necesitas reunir para poder **comprar** y acceder a la clase de vida que anhelas.

Déjalo allí un momento, ya regresaremos a él.

Punto 2: ¿Cuánto dinero requiere cada mes sostener un estilo de vida así?

Averigua ahora el costo de vivir en una casa como la que has descripto más arriba.

¿Cuál es el costo de mantenimiento de una casa como la que diseñaste, en el tipo de barrio que has elegido, con todo lo que eso implica? Quizás requiere de servicios adicionales como seguridad, empleados domésticos, jardineros, chofer, etc. Agrega el costo de sostener todo lo que has descripto más arriba para alcanzar el tipo de vida que anhelas. Debemos saber con exactitud cuál es el COSTO para sostener el estilo de vida que pretendes crear.

Costo mensual de mantenimiento, de mi estilo de vida soñado:

$ ....

Ese último, es el costo de **mantenimiento mensual** del estilo de vida que anhelas. Una vez logrado el estilo de vida que pretendemos alcanzar, debemos garantizar mínimamente, ingresos continuos por sobre este valor. No puedes comprar un inmueble o un estilo de vida que después no puedas sostener con tu flujo de ingresos mensuales.

Es decir, que tu flujo de ingresos mensuales SIEMPRE debe ser superior al costo de mantenimiento mensual de tu estilo de vida.

Aunque suene ambiguo o repetitivo, hay muchas personas que compran cosas y/o bienes, adquieren el coche nuevo, contratan servicios (TV por cable, telefonía, Internet, etc.), se mudan a una casa más grande y luego no pueden o se les hace muy difícil sostener esa carga FIJA MENSUAL de costos ampliados, sin previa programación. Es como colocar una mochila en tu espalda, que cada vez que adquieres algo o contratas un nuevo servicio, su peso aumenta. Llega un punto en el que no puedes seguir cargando esa mochila porque tarde o temprano te hará caer al suelo (endeudado). Para poder soportar una mochila más grande, debes primero hacerte más fuerte (económicamente).

Siempre, sin importar en qué nivel de ingresos o nivel de vida te encuentres, tus **costos** FIJOS deben ser inferiores a tus **ingresos** FIJOS mensuales. Los que sí pueden variar, son los costos variables. Por ejemplo: este año ganaste más dinero del que esperabas (superaste tus ingresos fijos), es un ingreso variable o ingreso adicional ya que está por sobre la media o promedio de tus ingresos regulares o frecuentes. Puedes destinar ese ingreso extra (variable), a un fin también variable, pero NO a un fin fijo.

Ejemplo de fines variables: unas vacaciones, una inversión que genere más dinero, un amueblamiento, etc. Son compras y/o gastos que NO aumentan tus costos FIJOS, sino que aparecen y desaparecen en el mismo mes. Si fuera una inversión que generará más dinero, sería una excelente decisión. Más adelante analizaremos ese caso puntual, ya que todo nuevo negocio o nueva fuente de ingresos tiene sus costos FIJOS relacionados también, y deben ser tratados de forma aislada de la economía familiar o personal.

COSTOS FIJOS: son los que debes pagar o asumir cada mes. El mes siguiente también estarán allí para ser atendidos/pagados.

COSTOS VARIABLES: son los que aparecen cuando los contratas y desaparecen ni bien terminas de utilizarlos. Las vacaciones por ejemplo. Si el periodo de uso de esa compra se repite cada mes, ya no es variable, sino que es ahora un costo FIJO también. ¡Cuidado con eso!

El mal manejo o uso indebido de los COSTOS FIJOS es una de las principales causas de fracaso de la mayoría de las economías personales. Incluso muchos artistas y/o famosos que conoces (es común en deportistas), que hicieron mucho dinero en un tiempo determinado de sus carreras, no percibieron este concepto y mal asesorados asumieron costos FIJOS cada vez más altos a medida que pasaron los años (coches de lujo, mansiones, derroche de dinero con amigos, viajes costosos, yates, entre otros). Y cuando su época de gloria terminó, regresaron obligadamente a sus ingresos FIJOS normales o a ingresos fijos mucho más bajos, con los que no pudieron sostener su nivel de vida y/o costos FIJOS adquiridos durante sus épocas de gloria (bancarrota).

El mejor uso que puedes dar a tus ingresos variables es invertirlos en crear nuevas fuentes de ingreso. La única cosa que debes mantener en crecimiento en tu economía personal son tus ingresos FIJOS, y no tus costos fijos. Ese es el camino hacia la independencia financiera. Recordemos que ingreso variable es todo el dinero que puedas hacer/ganar por sobre la media de ingresos que normalmente consigues cada mes. Para un empleado, podrían ser sus comisiones, su pago anual complementario (aguinaldo), premios, dinero generado por otras fuentes de ingresos, etc. Para un profesional, podrían ser trabajos extraordinarios, contratos especiales de temporada, trabajos extras, etc. Inclusive el mejor uso que puedes dar a tus ahorros es invertirlos en crear nuevas fuentes de ingresos. Si cada mes estás separando algo de dinero para ahorrar, jamás utilices tus ahorros para incrementar tus COSTOS FIJOS (la compra de un coche nuevo, por ejemplo). Es el peor uso que le puedes dar al dinero ahorrado con tanto esfuerzo.

Es importante aclarar que los costos fijos no solo se incrementan cuando adquieres o compras algún bien o servicio nuevo. También aumentan con la inflación o la devaluación. Los costos fijos crecen cuando aumentan los impuestos, el costo de los servicios que consumes, etc. Debes aprender a interpretar y controlar tus costos fijos para después poder encarrilarte hacia la Libertad Financiera.

Ambos puntos (1 y 2) con sus importes, son los que debes tener presentes para diseñar y/o crear tu plan financiero.

Acabamos de transformar nuestro sueño, en una meta real.

Hemos pasado de solo decir lo que queremos lograr, a colocar un importe determinado a todas las cosas que queremos (las metas). Hemos diseñado cada área de nuestra vida al detalle y luego hemos convertido ese estilo de vida soñado en una meta específica en dinero.

Aquellas cosas que decías que querías alcanzar, o que simplemente antes estaban solo en tu cabeza, aquí es donde dejan de ser sueños abstractos, para convertirse en METAS específicas, detalladas y concretas en PAPEL. El paso que sigue es crear el PLAN que hará posible el logro de cada una de esas metas. Colocar cada una de esas metas y/o sueños diseñados dentro de un plan que haga posible su concreción. Este proceso funciona con TODO tipo de metas (no solo económicas o materiales).

El **punto 1** nos indica la cantidad de dinero requerido para poder comprar y/o alcanzar nuestras metas (bienes materiales como vivienda, coche, etc.). Muchas personas dedican durante muchos años, una gran cantidad de horas diarias al trabajo para no construir ni lograr absolutamente nada. Trabajan y trabajan incansablemente para siempre estar en el mismo lugar. Así y todo, esas personas no pueden alcanzar el tipo de vivienda que anhelan, ni el coche que desean, ni el estilo de vida que quisieran. Desean tener más, desean mayores ingresos, pero no han diseñado específicamente un plan para lograrlo. Y mientras no estén los números claros en tu mente, tu cerebro no generará las ideas necesarias para lograr el ingreso congruente con esas metas o vida que anhelas.

El **punto 2** nos indica la cantidad de dinero mínima que debe fluir de forma continua cada mes a nuestra economía personal para poder sostener en el tiempo ese estilo de vida anhelado, una vez que haya sido alcanzado y/o creado.

Muchas personas que han podido ahorrar o hacerse de sumas importantes de dinero, adquieren coches lujosos, casas bonitas, departamentos en la playa, y después de un tiempo deben desprenderse uno a uno de esos bienes adquiridos o ganados por no poder sostener ese estilo de vida creado.

Aparentar ser lo que no eres, comprando cosas para las que aún no tienes el flujo de ingresos mensuales suficiente, te colocará siempre en graves problemas financieros.

CAPÍTULO 8

HACER REALIDAD LA META MEDIANTE EL PLAN ESPECÍFICO Y COHERENTE CON ELLA

Con tu actividad actual y/o tus ingresos actuales, ¿en qué tiempo podrás reunir la cifra de dinero requerida en el **punto 1** de la página 83, para adquirir, comprar y/o vivir, la clase de vida que anhelas?

Tiempo: ....

Hagamos juntos el cálculo ahora mismo: recuerda que no todo el dinero que llega a tus manos cada mes, proveniente de tus ingresos actuales, puedes destinarlo al ahorro, a la inversión, al pago de una cuota para tu nuevo vehículo, al pago de una hipoteca o crédito para adquirir tu vivienda soñada, etc. Una parte de tus ingresos es destinada obligadamente cada mes a tu sostén diario (a tu vivir cotidiano y tus gastos corrientes).

El cálculo se realiza de la siguiente manera:

Ingresos **actuales** por mes (tus ingresos totales)

—

Costo de vida **actual** (tus gastos actuales corrientes
para vivir) por mes

=

DINERO REAL DISPONIBLE
para adquirir tus metas del **punto 1**.

El cálculo es muy simple: tus ingresos actuales de cada
mes, menos tu costo de vida actual de cada mes. Tus ingresos
actuales de cada mes es todo dinero que llega a tu cuenta bancaria o a tus manos, sea el concepto que sea por el cual lo estés
ganando o generando. Ejemplo: sueldos o salarios mensuales,
comisiones, ganancias derivadas de tu profesión y/o negocio actual, alquileres o rentas que puedas estar percibiendo, etc.

Si trabajas de forma independiente y/o cuentas con ingresos que varían de un mes a otro, toma el promedio de tus ingresos totales de los últimos seis meses y realiza el cálculo con ese
importe.

El costo de vida actual es todo el dinero que cada mes
dispones o necesitas para tu sostén diario, por ejemplo: compra
de alimentos, pago de seguros médicos, automotor o de vivienda, alquiler o renta de tu vivienda, medicamentos, vestimenta,
esparcimiento y recreación, combustible, escuela de los niños,
gastos de telefonía, impuestos (relacionados con la vivienda, el
automotor u otros), servicios (televisión por cable, etc.).

En el costo de vida actual entran también todos aquellos
relacionados a tu estilo de vida actual, como por ejemplo: empleada doméstica, mantenimiento del jardín, reparaciones y/o

mantenimiento de tu coche o vehículo actual, regalos a terceros, vestimenta, peluquería, comida de mascotas, útiles escolares, decoración del hogar, etc.

Una vez realizado este cálculo, el resultado nos indicará **el dinero real disponible, neto de costo de vida actual**, que podremos destinar a adquirir las metas descriptas en el **punto 1**, o a crear la clase de vida que anhelamos.

IMPORTANTE:

Algunas compras típicas que suelen ser abonadas con tarjetas de crédito son: alimentos, artículos de limpieza, compra mensual de supermercado, servicios en débito automático, repuestos de vehículo, vestimenta, calzado, viajes, salidas, restaurante, regalos, etc. Si estás pagando alguna compra que hayas realizado, en cuotas, o si tienes gastos en tus tarjetas de crédito y aún los estás acarreando cada mes, esto restará de tu dinero mensual real disponible, neto de costo de vida actual para alcanzar tus metas. Esta es una de las muchas razones por las cuales las deudas y/o el uso de las tarjetas de crédito (en todas sus formas) son perjudiciales para tu salud económica y retrasan siempre el logro de tus metas y la creación de nuevas fuentes de ingresos.

Un pilar del éxito nos advierte:

Todo dinero que va destinado a gastos mensuales no podrá ser utilizado para la creación de más dinero.

Estima ahora el TIEMPO en que tus metas se harán realidad, en base a ese dinero mensual real disponible, neto de costo de vida actual.

El cálculo es el siguiente:

> Importe requerido para adquirir tus metas del **punto 1**
>
> %
>
> Dinero mensual disponible, neto de costo de vida actual
> (dinero disponible para alcanzar tus metas)
>
> =
>
> TIEMPO requerido en meses para llegar a tus metas

Si al importe que necesito para poder comprar el estilo de vida que anhelo, lo dividimos por el "dinero mensual disponible, neto de costo de vida actual", el resultado te indicará el tiempo (en meses) que te tomará alcanzar tus metas del **punto 1**.

Si luego lo multiplicas por 12, obtendrás el resultado en años. Es decir: la cantidad de años que tardarás en ahorrar o acumular el dinero necesario para hacer reales tus metas del **punto 1**, con tu esquema de ingresos **actuales**.

Marca o indica, según tu resultado anterior:

Lograré mis metas y estilo de vida soñado en:

-1 a 3 años ( )

-3 a 7 años ( )

-7 a 15 años ( )

-Más de 15 años ( )

1 a 3 años

Si tu respuesta o cálculo se ubica entre 1 y 3 años, cuentas con un excelente nivel de ingresos para la clase o nivel de metas que aspiras alcanzar. Puedes disminuir aún más este tiempo generando una fuente de ingreso paralela a tu actividad actual. ¡Atención! También puede suceder que tus metas sean muy bajas y por ende puedan ser logradas con pocos recursos, lo cual no está mal, siempre y cuando sean TUS METAS y consideres que eso es lo que deseas para tu vida.

3 a 7 años

Si en cambio el cálculo de tiempo requerido para hacer realidad tus metas del **punto 1** se sitúa entre 3 y 7 años, sería muy conveniente agregar alguna fuente de ingresos adicionales y en paralelo a tu actividad actual, para disminuir así este lapso de tiempo. Cabe aclarar que la fuente de ingreso en paralelo debe ser utilizada solo a este fin: reunir el dinero para concretar tus metas del **punto 1**, y no para incrementar tu costo de vida actual. De lo contrario, generar una fuente de ingresos extras no provocará el efecto próspero que esperamos, sino que por el contrario, nos retrasará aún más y además consumirá tiempo importante de nuestra vida.

7 a 15 años

Si el tiempo para hacerte del dinero necesario para acceder a las cosas que anhelas es superior a los 7 años, necesariamente debes diseñar un plan que incluya una estrategia alternativa de ingresos extras para disminuir así este tiempo de espera y adquisición de las cosas que anhelas.

Más de 15 años

Y si por último, el tiempo que requieres para hacerte del dinero necesario para lograr las METAS y SUEÑOS descriptos en el **punto 1** es superior a los 15 años, tu actividad actual dista demasiado del estilo de vida que esperas alcanzar. Hay una evidente incongruencia entre las cosas que anhelas (tus metas), y tus ingresos actuales. Para este escenario tan negativo, además del diseño de un plan de ingresos extras, es probable que necesites evaluar un cambio de actividad y la creación de habilidades nuevas referidas al dinero, a tu profesión, al estudio del mercado y los negocios en general, etc. Si estás en esta última categoría, no te angusties. Mi cálculo personal de ingreso requerido para hacer realidad mis metas cayó en esta misma categoría cuando lo hice por primera vez. Después de hacer una carrera universitaria y ocupar un puesto gerencial en una empresa importante por casi 10 años, mi economía estaba en rojo, sin progreso, sin mejoras, y sin una solución al corto plazo. Fue entonces cuando comencé a reflexionar y encarar la búsqueda de métodos alternativos para generar ingresos extras.

Probé de todo. Cometí cientos de errores, perdí dinero en el camino, pero todo ha sido parte del aprendizaje, que cuando se capitaliza adecuadamente, se convierte en una caja de herramientas para impulsarte hacia adelante.

En nuestra página web: **www.JoseMontoya.info**, hablamos en reiteradas ocasiones sobre cómo capitalizar y transformar tus errores y malas experiencias del pasado en tu arma secreta y REAL, que te permita avanzar más rápido hacia tus metas y tus sueños. Cada una de aquellas cosas que no has acertado en el pasado, HOY pueden convertirse en una bendición para tu vida.

Toma notas de mi pilar del éxito favorito:
**La vida te presenta cada prueba para sacar
lo mejor que hay en ti e impulsarte hacia adelante.
Solo serás derrotado y tendrás retrocesos ante
aquellas experiencias y situaciones donde
no hayas puesto lo máximo de ti.**

CAPÍTULO 9

CREANDO LOS INGRESOS SUFICIENTES PARA SOSTENER TU ESTILO DE VIDA DESEADO

Con la actividad que realizas actualmente, ¿cuentas con ingresos suficientes cada mes, como para sostener el estilo de vida anhelado? Si en el ejercicio anterior la respuesta te dio entre 1 y 3 años para hacerte del dinero que necesitas para adquirir las metas propuestas, es probable que cuentes con ingresos suficientes para crear el estilo de vida que deseas, e incluso, para luego poder también sostener ese estilo de vida creado, siempre y cuando seas capaz de **no endeudarte durante el proceso** y asegurar que tu flujo de ingresos se mantenga continuo y/o permanente en el tiempo. Caso contrario, necesitarás comenzar con las actividades que planteamos más adelante, y diseñar también una alternativa de ingresos extras, que sean suficientes y acordes para sostener el estilo de vida y/o metas que pretendes alcanzar.

¿Has viajado a algún lugar alguna vez?... ¿a otra ciudad o país?

Generalmente cuando se programa un viaje, gran parte del mismo y de las actividades se planean anticipadamente, tanto el sitio donde nos alojaremos, el tipo y costo de pasajes, día y hora exacta en que viajaremos, tiempo de viaje, hora de llegada, las cosas que haremos al llegar a nuestro destino, algunos incluso planean los lugares que van a visitar, los lugares donde van a ir a cenar, tours, shows, excursiones, etc. Casi todo se planea debida y **anticipadamente**, con la única finalidad de que el viaje sea un verdadero éxito y no ocurran demasiados imprevistos y/o contratiempos.

Así como le damos la importancia a un buen diseño y planificación de un viaje que durará unos pocos días, ¿por qué no damos la misma importancia y planificación a nuestra vida, que dura varios años?

La mayoría de las personas, NO diseña su vida, NO planea sus ingresos, NO proyecta su futuro y mucho menos las actividades que debe emprender para poder llevar una vida acorde a las metas y al destino/futuro esperado. Esto hace que mucha gente se encuentre en un lugar que no es el que eligió, o con una vida que difiere bastante de lo que proyectaron o soñaron.

Un pilar del éxito nos dice:

No controlar tu vida y tus metas mediante un adecuado proceso de diseño, permite a las circunstancias ser quienes controlen tu vida y tus resultados.

Si tuvieras que comprar un coche nuevo, ¿en qué te fijas? ¿Te fijas en algún detalle en particular? ¿En cuál? ¿O no te fijas en nada y simplemente te quedas con el primer auto que encuentras sin importar el año del modelo, ni la marca, ni el estado, ni los kilómetros, ni el precio, ni nada? ¿Es así como se compra un auto nuevo?

¡NO!

Seguramente chequearás algunos detalles mínimos, como el estado general de la chapa, su pintura, el tapizado, los kilómetros, el motor, el precio, el medio de pago, etc. Mientras más detallista seas al inspeccionar el coche que comprarás, mejor será tu transacción y evitarás al máximo las probabilidades de comprar una unidad defectuosa o con problemas a futuro.

¿No deberíamos, con el mismo tratamiento y ahínco con el que seleccionamos, testeamos y buscamos ese coche nuevo, buscar y elegir el MEDIO con el que vamos a ganarnos la vida y cumplir nuestros sueños?

¿Qué hace la mayoría de la gente? Sale a buscar trabajo y se queda con el primero que encuentra, por años. Es igual que alguien que compra el primer coche que se le presenta. Una persona que así actúa, siempre estará a merced de los problemas.

Existen trabajos y actividades de ingresos bajos, ingresos medios, e ingresos altos. Debes aprender a ubicarte en actividades y/o trabajos de ingresos acordes a las metas y sueños que deseas alcanzar. Los soñadores tienen sueños que siempre seguirán siendo abstractos e inalcanzables. El soñador quiere muchas cosas: alcanzar un mejor estilo de vida, tener un mejor coche, viajar por el mundo, dar una mejor calidad de vida a la familia, ayudar a otras personas, pero no desarrolla un plan acorde con sus intenciones o sueños. El planificador diligente, en cambio, además de elevar su valor en el mercado como ya hemos aprendido antes, **buscará una actividad que posibilite el logro de esos sueños**.

Debes ser capaz de preguntarte y analizar:

• Con mi actividad actual, ¿podré alcanzar las cosas que quiero?

....

- ¿En qué tiempo?

....

Si el tiempo no es el que esperas, tienes dos opciones:

1- Cambias tus METAS a metas más bajas y acordes a tu actividad actual y tus ingresos actuales.

2- O cambias tu actividad actual por una actividad que sea capaz de proveer los ingresos acordes a las metas y estilo de vida que pretendes alcanzar.

La mayoría toma la opción 1: cambia sus metas, pero NO su actividad. Achica sus metas en vez de incrementar sus ingresos. Deja de soñar y crear una vida nueva a cambio de acomodarse en un entorno de metas bajas.

Las opciones son: o acomodas tus metas a tus ingresos actuales, o cambias tus ingresos actuales y los elevas al nivel de tus nuevas metas. Es una decisión que muchos escogen de forma inconsciente: seguir donde están, lo más estáticos posible.

Debes estar agradecido por el trabajo que tienes y por los ingresos que hoy ese trabajo o profesión provee. Debes estar agradecido con tu contratista o empleador. Pero **agradecido no es lo mismo que satisfecho.**

Un pilar del éxito nos enseña:

En el área económica ser agradecido es una virtud, pero sentirse satisfecho es un defecto.

¡Tu búsqueda no debe detenerse jamás! En el momento en que te detienes y dejas de buscar mejores propuestas, mejores trabajos, mejores contratos, mejores oportunidades, aceptas quedarte con lo que tienes, en la situación que hoy estás, cerrando la posibilidad a todo lo NUEVO y MEJOR.

Si ELIGES abandonar tu búsqueda y quedarte en la actividad que ya tienes, debes ser consciente de aquello que tu profesión y/o trabajo es capaz de darte hoy y a futuro.

Hazte las siguientes preguntas:

- ¿Es esto lo que quiero para mi vida?

  ....

- ¿Cuánto es lo máximo que puedo lograr aquí?

  ....

- ¿Qué tiempo debería permanecer aquí?

  ....

Las siguientes preguntas son las que me hice cuando entendí que para alcanzar mis metas, no tenía que trabajar más tiempo o trabajar más horas extras, sino hallar o crear una actividad que me proporcionara mejores ingresos en menor tiempo.

Recuerda que las preguntas correctas conducen siempre a soluciones correctas.

Pilar del éxito:

Cuando hay cosas inconclusas en nuestra vida, generalmente se debe a que no hemos sabido plantear las preguntas correctas del modo correcto.

- ¿Cómo debería ser y/o cuánto debería producir (ganar) en una actividad nueva si la creara yo mismo o si la encontrara en el mercado?

  $ ....

- ¿Qué tiempo dedicaré a la búsqueda o creación de esa nueva alternativa para mis ingresos, sabiendo que es la llave a mi nueva vida?

  ....

CAPÍTULO 10

SINTONIZA TU CEREBRO
CON LAS COSAS QUE QUIERES

Cada cosa que logré la había considerado antes un imposible. De aquí la importancia de aproximar tu cerebro y tu mente a una sintonía adecuada con el dinero y la prosperidad económica que deseas.

Las creencias de una persona en relación al dinero, el éxito, el trabajo, y la forma en que esa persona ordena y prioriza sus pensamientos, determinan si triunfará, o si vivirá condenada al fracaso.

Ordena tus pensamientos

- ¿Crees que puedes lograr más de lo que logrado?

Sin importar donde hoy te encuentres, siempre existe un NIVEL más delante nuestro, al que podemos acceder o llegar con un nuevo plan o ruta de acción.

- ¿Crees que puedes ser más fuerte de lo que eres? ¿Mejor de lo que eres? ¿Alcanzar a más personas con tus servicios y/o productos?

Déjame repetir la pregunta: ¿CREES que puedes hacerlo? ¿O crees que necesitas algo que hoy no tienes para sentirte completo y poder avanzar a un nuevo nivel de éxito en tu vida?

Ya dijimos antes que creer en lo que puedes alcanzar o no determina qué tanto te consideras capaz de concretar tus sueños o una vida mejor, y es un factor determinante en el camino al éxito. Esta es quizás la parte interna del proceso de concreción de tus sueños a realidad, pero no por ello menos importante. Si la parte interna del proceso fracasa, toda la planeación también fracasará.

Habrás escuchado varias veces la comparación de nuestra mente con la tierra de un jardín. Si la tierra no está debidamente preparada, toda semilla puesta en ella fracasará.

El éxito no depende la semilla solamente (el plan) sino de la tierra y del cuidado que a ella se le dará (tu mente).

La buena noticia es que no necesitas verte o creerte un superhombre o una supermujer. Este proceso de creer en ti y en metas mayores será gradual a partir de que vayas alcanzando tus primeras conquistas o logros. Lo importante es iniciar el proceso y que te encuentres hoy con metas y objetivos superiores a los de tus logros pasados, con una total convicción de que **eres la persona ideal** y totalmente capaz de poder concretarlos.

No necesitas la autorización de nadie para ser más de lo que eres. No necesitas mayores experiencias para poder iniciar. La experiencia esta sobrevaluada por aquellos que han invertido años en la búsqueda de lo que desean y no han encontrado satisfacción en lo que han hecho o intentado.

Tal como hoy estás es todo lo que necesitas para INICIAR este proceso de creación de tu nuevo nivel de ingresos y la implementación del plan para alcanzar cada una de tus metas.

Lo que sí necesitas hacer con urgencia, es un balance de tu vida pasada.

¡Sí, ya te oí!: *"¿De qué estás hablando José?"*.

La mayoría de las personas fracasa porque continúa recreando su vida y resultados pasados en su presente y en su futuro de forma indefinida. Necesitas prestar más atención a cómo se ha venido desarrollando tu vida y tus resultados anteriores y actuales. Si prestas más atención a tu pasado hallarás enseñanzas muy valiosas sobre todo aquello que no debes permitir que siga sucediendo en tu vida. Tu experiencia es una valiosísima enseñanza que debes considerar en todo momento. No es cierto que debemos olvidar el pasado, lo necesitamos como recordatorio de lo que funcionó y de lo que NO funcionó. Ya sabes lo que ha funcionado y resultado bien y todo lo que no ha funcionado y resultado no tan bien. ¡No lo olvides! ¡No estás comenzando de cero!

Si tienes más de 30 años, tienes un camino importante andado como para saber qué cosas funcionan (de las que has experimentado) y qué cosas no funcionan. Quizás haya cosas que no funcionaron porque las has implementado mal, pues... ¡sé honesto contigo mismo, sé objetivo, y saca en limpio ese balance!

- ¿Cuáles cosas he hecho mal en el pasado?

....

- ¿Por qué salieron mal y qué haré para no repetirlas o volver a caer en ellas?

....

Si apenas tienes 20 años puedes valerte de la experiencia de quienes te rodean. ¿Quiénes son? ¿Qué logros significativos tienen ellos... o no tienen ninguno? ¿Qué cosas han hecho para acabar así? ¿Qué cosas no debes permitir replicar de ellos en tu vida? ¿Cuáles cosas no deberías permitir que sigan sucediendo? Por una respuesta u otra, tanto si tienen o no tienen logros importantes, SON MAESTROS para tu VIDA. Quien ha fracasado en su negocio, su matrimonio, sus metas, ha estado guiado, impulsado, dominado por una serie de IDEAS, PENSAMIENTOS y ESTRATEGIAS (plan) que no han funcionado. La empresa o persona que ha fracasado puede a veces enseñarte más que la que ha triunfado. El fracaso indica de forma clara el camino que NO debes tomar y/o aquellas cosas de las que debes alejarte o cuidarte. Presta atención a los fracasos ajenos, ¡son excelentes impulsores de tu éxito!

Pilar del éxito:

Fracaso y éxito son creados en la mente primero y luego replicados en el plano material solo para dar coherencia al pensamiento. Todo pensamiento lo suficientemente arraigado se hará realidad tarde o temprano.

Cada uno actúa siempre acorde al tipo de pensamientos que permite que dominen y controlen su mente. La Biblia nos enseña: *"Cada hombre es según los pensamientos de su corazón".* Es una clara advertencia sobre la manera en que nuestros pensamientos moldean y condicionan nuestro accionar.

Hace algunos años, yo me veía (visión) trabajando en una empresa importante, con título universitario, en un puesto ejecutivo. Ese era mi sueño quince años atrás. En ese momento, me creí capaz de lograr ese puesto de empleado jerárquico, e inicié entonces las acciones para alcanzarlo. Sucedió que poco tiempo después de haber iniciado mi plan (inconscientemente y desconociendo el proceso para transformar sueños a metas) alcancé ese objetivo y pasé de ser empleado operario de fábrica con ingresos muy bajos a un puesto de empleado jerárquico con mejores ingresos.

Después de casi diez años allí trabajando catorce horas diarias, empecé a sentir que trabajaba demasiado solo para estar siempre en el mismo lugar (económicamente hablando). Fue entonces cuando empecé a evaluar otras posibilidades para hacer crecer mis ingresos. Así apareció la idea de comenzar mi primer negocio propio. Nunca antes había evaluado esta opción. "¿Un negocio? ¿Un negocio propio? ¿Yo, que nunca hice negocios antes? ¿Seré capaz?".

¡La respuesta es NO!

No seré capaz mientras me mantenga estático o quieto. No seré capaz mientras siga en ese nivel de pensamientos en el que me encuentro. Seré capaz en la medida en que salga de esta burbuja en la que estoy. Seré capaz en la medida en que adquiera conocimientos nuevos, conozca personas nuevas con metas superiores y abra mi mente a la búsqueda y conocimiento de nueva información que me permita SER MÁS y MEJOR cada día.

El proceso de crecimiento es un proceso que no tiene fin. Cada día debemos aprender algo nuevo. ¡Cada día se puede ser mejor, más grande, más exitoso en cada área de nuestra vida!

Un pilar del éxito nos dice:

Generamos ideas y soluciones de acuerdo al nivel y al entorno en que nos encontramos.

En mi caso nunca había tenido un negocio antes, no había realizado inversiones de ningún tipo, jamás había estado al frente de un proyecto; sin embargo, la idea de poder generar mis propios ingresos y dar un mejor bienestar a mi familia, me entusiasmaba cada vez más. El entusiasmo por algo (sea lo que sea) produce dentro del ser humano un efecto totalmente positivo: se generan adrenalina y endorfinas que desencadenan el proceso de generación de ideas en nuestro cerebro.

Al comenzar las ideas nuevas a tener lugar y espacio dentro de mi cerebro, empecé a sentirme capaz de poder hacerlo. Al sentirme capaz, inicié las acciones para concretarlo. Encontré la idea de negocio que necesitaba, pese a mi nula experiencia en el mundo empresarial, y la puse en marcha.

Conclusión: nunca actuamos sin antes sentirnos capaces de poder lograrlo.

El proceso es el siguiente:

Ardiente Deseo Interno de superación ⇨ Creer convencidamente que puedo ⇨ Idea acorde a lo que creo que soy capaz ⇨ finalmente, poner la idea en funcionamiento para materializarla.

¿Dónde está el límite dentro de esta fórmula o receta?

El crecimiento final o el logro obtenido, es determinado por el tipo o tamaño de la IDEA en la que te involucres, según la confianza o fe en tu capacidad para concretarla.

Nuestro accionar está condicionado siempre por el tamaño y tipo de idea que generamos, en base a la autoconfianza que tenemos. El resultado o logro alcanzado vendrá dado por mi accionar en base a esos componentes de la fórmula. Si analizamos la fórmula, notamos que el tamaño del logro se define en el primer eslabón del proceso: MI MENTE y lo que ella cree capaz de alcanzar.

Hasta que yo no decidí que mi vida económica requería de un cambio, mi mente no creó las condiciones adecuadas para ese cambio, y la idea del negocio propio permaneció durante años dormida dentro de mí.

Esto es válido para cada área de tu vida. Aquí estamos netamente hablando de lo económico. Hasta que no seas capaz de crear las condiciones mentales adecuadas, la idea de ser independiente, crear nuevas fuentes de ingresos y alcanzar un nuevo nivel de éxito no se despertarán en ti. No aparecerán las ideas creativas que requieres en el proceso, ni la toma de decisiones fundamentales que se necesita para crear y encaminar un PLAN de VIDA o un plan de negocios.

Un pilar del éxito nos dice:

Nadie es capaz de generar o producir ideas para lograr aquello en lo que no cree.

Nuestra estructura interna de pensamientos es como una lente con la cual miramos todo lo que se nos presenta. Si esa lente se pintara de color verde, todo cuanto miramos a través de ella tenderá a ser de color verde. Si esa lente se pintara de color rojo, todo cuanto miramos a través de ella tenderá a ser rojo, cuando incluso el color real de las cosas que observamos sea diferente.

Toda la información que recibimos es introducida a nuestro cerebro por medio de alguno de nuestros sentidos. Esa información es recibida y leída por nuestra lente de procesamiento y almacenamiento de datos, que funciona como un filtro calificando y etiquetando según sea el color de lente de pensamientos.

¿Cómo se formó esa lente o estructura de pensamientos en nuestro cerebro?

No se formó de un día para otro, sino a lo largo de toda nuestra vida mediante:

— Conocimientos que fuimos adquiriendo.

— Experiencias vividas, buenas y malas.

— Conclusiones propias obtenidas sobre cada área de nuestra vida.

— Nuestra VERDAD pasada y actual.

— El entorno que nos rodea y las personas con las que pasamos tiempo.

Dimos un ejemplo antes, cuando te pregunté:

¿Cómo serías y cómo pensarías, de haber nacido en un país o continente diferente? ¿En la cultura árabe, por ejemplo, con otra creencia religiosa, otra familia, otra cultura de trabajo, otra interpretación de la vida y la familia, otra idiosincrasia, otra educación, y otra estructura social? ¡Claro que serías otra persona! Esta es la prueba de que no somos lo que queremos, sino aquello que nuestro entorno condicionó.

Esto significa que todo lo que creemos como cierto o verdad sobre algún hecho es de cierto modo parcial y NO objetivo. Es decir, es nuestra opinión, y no significa que sea la única, ni la mejor, ni la correcta. Es solo nuestra opinión en base al etiquetado que nuestro filtro mental asignó, condicionado según su estructura de pensamientos.

¿Qué sucedería si dentro de tu filtro mental se albergaran algunos de estos pensamientos?:

"No creo pueda ser libre financieramente".

"No creo en el amor a primera vista".

"Todos los políticos son corruptos".

"La tecnología no sirve para nada, solo elimina puestos de trabajo".

"Así como estamos, estamos bien".

Son todas ideas y verdades solo para quien las pronuncia o cree. PERO NO SON VERDADES ABSOLUTAS. El problema es que a todas estas opiniones nuestro cerebro las procesa como verdades únicas y acciona en base a ellas.

¿Qué posibilidades tiene una persona que CREE que NO puede ganar más dinero del que ya gana?

¿Qué posibilidades tiene una persona que CREE que NO puede alcanzar sus sueños o la Libertad Financiera?

Pilar del éxito:

Nadie crea ideas, ni acciona en dirección a lo que no cree que puede lograr.

Pensamientos y/o frases a eliminar:

"No se puede", "no puedo".

"No estoy preparado para...".

"No he nacido para...", "he nacido solo para...".

"No me lo merezco...".

"Somos pobres", "soy pobre".

"Es de herencia", "mi familia siempre fue así...".

"No tengo los recursos", "no tengo el conocimiento", "no tengo el apoyo".

"Hay crisis", "el país y la economía están en crisis".

"No hay oportunidades", "se vienen tiempos peores", etc.

Esos pensamientos negativos y destructivos, son solo eso... pensamientos. No son verdades, no son realidad, ¡no son hechos! Es TU pensamiento, tu versión, la versión que ELIGES creer y aceptar sobre el estado de los hechos.

Un pilar del éxito nos dice:
Nadie puede llegar más lejos de lo que cree que puede.

Esas creencias anteriores nublan tus perspectivas de futuro e impiden que puedas ver la realidad de tu potencial e identificar las oportunidades cuando estas se te presentan.

Otro pilar del éxito nos dice:
Nuestro accionar está determinado por nuestra manera de pensar.

Esto confirma que es entonces el pensamiento el que dirige el accionar de cada persona.

¿Cómo actúa alguien que cree que su pareja no lo ama? ¿Cómo trabaja alguien que cree que en su trabajo le están serruchando el piso? ¿Cómo acciona una persona que cree que no puede? ¿Cómo acciona una persona que cree que todo lo que hace le sale mal? ¿Cómo acciona alguien que se cree y siente un perdedor?

Por otro lado, ¿cómo acciona una persona que cree que SÍ puede elevar su VALOR y su NIVEL de éxito? ¿Cómo acciona una persona que está convencida de que merece esas metas, y además, se siente un ganador y está convencido de poder alcanzarlas?

Hay una frase muy popular que dice: la calidad de tu vida está determinada por la calidad de tus pensamientos.

Pilar del éxito:

La motivación que mueve a la gente de éxito y a la de fracaso parten desde el mismo origen: sus pensamientos (su proceso interno).

CAPÍTULO 11

ACTIVA TU CAPACIDAD DE PROYECTARTE

Tu nivel de motivación para actuar y todas tus ideas actuales, son consecuencia de la VISIÓN actual y futura que tengas de ti mismo. ¿Cómo te ves en 2, 3, 5 y 10 años? ¿Haciendo qué cosas? ¿Viviendo con quién y de qué modo?

Un pilar del éxito nos dice:
De lo que elijas VER, dependerá TODO cuanto logres en la vida.

Pero no refiere a tus ojos físicos, sino a los ojos de tu mente. Con los ojos físicos todos podemos ver las mismas cosas, pero con los ojos de la mente todos vemos cosas diferentes.

Tus metas y tus sueños no dependen de lo que veas con tus ojos físicos, sino de lo que veas con los ojos de tu mente. La visión ocular ve la realidad material, la visión MENTAL ve las posibilidades que aún no existen y lo que podrían llegar a ser. De esta última (visión mental) depende el grado o nivel de éxito al que aspiramos y que luego podamos concretar.

El 95% de la gente ve con sus ojos físicos las cosas que la rodean y no es capaz de ver con los ojos de la mente el mundo de posibilidades que puede formar alrededor de ella.

De niños aspiramos a MUCHO y pretendemos lograr cosas extraordinarias, pero ya de grandes nos conformamos con POCO, y nos enredamos en metas básicas y de escaso progreso. La razón es que los niños no son capaces de VER aquellas limitaciones que los adultos sí ven y encuentran a primera vista. Los niños, hasta cierta edad (8 a 10 años) usan adecuadamente los ojos de la mente por sobre los ojos físicos. Los psicólogos afirman que a partir de esa edad (8 a 10 años) los niños ya están lo suficientemente contaminados por el mundo adulto de su alrededor, lo que los conduce a dejar de lado la visión mental con la que nacen, y a comenzar a utilizar únicamente la visión física u ocular. *"Si no lo veo no lo creo"*, ¿te es familiar la frase?

El elemento fundamental que da inicio a la creación de ideas nuevas y a la generación del entusiasmo y pasión necesarios para la implementación de un plan de trabajo que haga realidad tus metas, se llama VISIÓN.

La visión es la capacidad de transportarte hacia adelante y ver con los ojos de tu mente cómo sería el futuro (tu futuro) de tomar o no ciertas decisiones y/o acciones. Un futuro NUEVO que se creará y tomará forma en base a esas nuevas decisiones y nuevas acciones que HOY emprendas, impulsado por tu visión MENTAL (lo que ves y esperas de ti y para ti).

La visión no es simplemente IMAGINAR cómo podrían resultar las cosas. Imaginar es vivir en el abstracto anhelando o deseando cosas que no sabes cómo se podrían alcanzar. Te imaginas viajando por el mundo, pero no sabes cuándo eso sucederá, ni mucho menos cómo lograrlo. Te imaginas con tu pareja ideal, te imaginas en una casa nueva, te imaginas en un coche deportivo quizás, te imaginas ayudando a otras personas, te imaginas rescatando a los más pobres y necesitados, te imaginas libre financieramente, pero estás muy distante de crear una situación así, muy lejos de poder alcanzarla, y no tienes ninguna idea de cómo hacer realidad esos sueños en tu vida. La imaginación no tiene nada que ver con el éxito, si luego no se transforma en una VISIÓN CLARA y REAL de lo que verdaderamente quieres y cómo lo conseguirás.

La visión no es divagar sobre un futuro distante (ser un soñador) o vivir en el abstracto de los pensamientos positivos, sino por el contrario, la visión es sentir VÍVIDAMENTE las emociones provocadas por la convicción y seguridad de que tus metas se harán realidad al término de un determinado y coordinado accionar.

Visión es la capacidad de ver todo lo que soy capaz de alcanzar si llevara a cabo ciertas acciones claramente diseñadas para conducir mi vida, desde donde se encuentra hoy, a ese NUEVO lugar que visualizo y quiero llegar.

La Visión no se condiciona con el pasado mal vivido o poco logrado, pero tampoco lo neutraliza. La visión incluye al pasado sacando provecho de las experiencias buenas y desechando las experiencias negativas para no volver a repetirlas, como ya aprendimos antes. **Visión es trabajar el presente, recordando el pasado y mirando el futuro.**

Existe la visión positiva y existe la visión negativa. Es común encontrar personas con visión limitada o visión negativa. Yo me encontraba con una visión limitada hace varios años atrás, cuando a lo único que aspiraba era a un puesto de encargado de planta en la fábrica donde trabajaba como operario. Esa visión la mantuve por años, hasta concretarla. ¡El proceso funcionó a la perfección! Mi visión (ser encargado de planta) género en mí el entusiasmo necesario y los mecanismos se pusieron en marcha para darme la fuerza y coraje necesarios para luchar y alcanzar ese puesto de encargado de planta. Lo logré en muy poco tiempo, ya que el nivel de entusiasmo y pasión que seas capaz de crear y/o generar en ti mismo hace que hagas cosas increíbles que otras personas tal vez no harían bajo condiciones normales de motivación y entusiasmo. Estudiaba fuera de hora, llegaba antes del horario de entrada, era el primero en llegar y el último en retirarse; siempre hice más de lo que se me pedía, siempre daba más de lo que se me exigía, y todo sin importar la paga que tenía, que por cierto era bastante baja o miserable. Especializarme más que mis pares y superiores, estudiar el accionar de los mandos altos y gerentes de la empresa, imitar sus conductas, sus formas, intentando cada día parecerme a ellos, desató un proceso de superación personal y laboral en mí que en poco tiempo me condujo a un puesto jerárquico dentro de la empresa.

Antes de ser responsable de planta, los operarios me trataban como tal, y se empezaba a correr el rumor de que yo estaría tarde o temprano en ese puesto. Yo, el novato, el nuevo, el operario, estaba por encima de otros candidatos que llevaban hasta 25 años en la empresa esforzándose para un puesto de gerencia. Es simple: hice lo que ellos no estaban dispuestos a hacer. Visualicé la meta, tracé un plan, y puse toda mi concentración en ello.

El problema de las visiones pequeñas o limitadas es que también se hacen realidad. Una vez que pude concretar esa visión (responsable de planta), comprendí que el proceso funcionaba, entendí el poder que desatamos dentro nuestro al fascinarnos con una meta o una idea clara e iniciar el proceso. Pero había un problema: el destino elegido (responsable de área o planta) había sido el destino equivocado.

La visión negativa por su parte, es todo aquello que esperas y que no hace bien a tu vida. Habrás escuchado a personas decir: seguro me dará un resfriado con este frío. ¿Qué crees que sucede? ¡A los dos días están con su resfriado encima! Su visión se ha hecho realidad, ellos activaron los mecanismos internos para que esto sucediera.

La visión pone en marcha procesos internos a nivel neurológico que nos ubican en una zona propensa a salud o enfermedad, a creatividad o nublamiento de la razón, expectativas y/o metas. Segregamos hormonas en nuestro cerebro, que a través del torrente sanguíneo recorren todo nuestro cuerpo y sus órganos depositándose en ellos, colaborando con el sistema inmune o deteriorándolo. Según los pensamientos o ideas más preponderantes en nuestra mente, creamos una gran cantidad de sustancias que van a beneficiarnos o perjudicarnos en muchos aspectos. Hay personas que el solo hecho de pensar en ciertas cosas les genera ansiedad, estrés, miedo, preocupación, dolor de cabeza, etc. ¿Qué crees que es eso? ¡Procesos neurológicos y hormonas puestos en MOVIMIENTO! Habrás oído hablar también de las enfermedades psicosomáticas, aquellas que la misma persona recrea en su propio cuerpo a partir de la nada. O mejor dicho, a partir de sus pensamientos (visión negativa de sí misma). Esas personas se ven a sí mismas siempre enfermas, o portando alguna enfermedad hereditaria, y su cuerpo actúa en base a ello, dándoles la razón, segregando aquellas hormonas suficientes y necesarias para complacerlas en sus ideas y pensamientos negativos. ¡TU cuerpo es una máquina increíblemente extraordinaria y perfecta! ¡Hará lo que le pidas! El problema es NO saber controlar ese mecanismo, o incluso, desconocerlo por completo.

¿Qué le estás pidiendo a tu cerebro, a tus hormonas, y a tu cuerpo actualmente?

¿Qué tipo de visión has estado alimentando los últimos meses o años?

La importancia de comprender y aprender a trabajar tu visión, es que puedes hacer realidad CUALQUIER cosa que seas capaz de PENSAR, CREER y luego VER (visión).

Un pilar del éxito nos dice:

A la mayoría de las personas no las aplastan sus problemas, sino su falta de visión.

Cierta vez le preguntaron a Hellen Keller qué sería peor que ser ciego de nacimiento, a lo que ella respondió: *"Tener vista y no tener visión".*

Todos conocemos o escuchamos hablar alguna vez de Henry Ford, el padre de la industria automotriz. Cuando comenzó a dar forma a su sueño (su empresa de automóviles) y lanzó los primeros vehículos al mercado, los periódicos de la época y los grandes pensadores y formadores de opinión del momento lo criticaron ferozmente diciendo que era *"El hombre loco, que fabrica máquinas que nadie podrá utilizar"*, haciendo referencia a sus automóviles y a la falta de carreteras para poder utilizarlos. *"¿Quién va querer comprar uno de esos vehículos tan extraños?".* Ese fue el titular durante varias semanas en los más importantes periódicos de aquella época.

Regresemos y ajustemos ahora, la formula anterior:

Ardiente Deseo de Superación
⇩
Creer que puedo
⇩
Idea acorde a lo que creo que soy capaz
⇩
VISUALIZAR el proceso de puesta en marcha y VISUALIZAR el objetivo, logrando ideas NUEVAS y mejoradas acordes a nuestra nueva visión del futuro.
⇩
Finalmente, poner la idea en marcha para materializarla.

Hemos agregado así la VISUALIZACIÓN como paso previo al ACCIONAR dentro de la fórmula o proceso de concreción de metas a realidad.

Responde por favor:

- ¿Qué visualizas o imaginas hoy, cuando te observas de aquí a un año?

....

- ¿Qué te ves haciendo?

....

- ¿Con quién te ves viviendo?

....

- ¿Dónde te ves viviendo?

....

- ¿Cómo es tu casa?

....

- ¿Cómo es tu vida en 10 a 12 meses?

....

- ¿A quiénes estás ayudando? ¿De qué manera?

....

- ¿Qué cosas te hacen sentir orgulloso de haberlas concretado?

....

Los próximos 10 años van a pasar tan rápido como pasaron los últimos 10.

Sería inteligente diseñar los próximos 10 años para que puedas mirar atrás y con satisfacción decir que has vivido y hecho todo cuando soñaste y querías.

Si te animas, responde nuevamente las preguntas del ejercicio anterior, pero ahora en un plazo mayor, en vez de aquí a 1 año, hazlo de aquí a 5, y de aquí a 10 años.

- ¿Qué visualizas o imaginas hoy, cuando te observas de aquí a 5 o 10 años?

  ....

- ¿Qué te ves haciendo?

  ....

- ¿Con quién te ves viviendo?

  ....

- ¿Dónde te ves viviendo?

  ....

- ¿Cómo es tu casa?

  ....

- ¿Cómo es tu vida en 5 o 10 años?

  ....

- ¿A quiénes estás ayudando? ¿De qué manera?

  ....

- ¿Qué cosas te hacen sentir orgulloso de haberlas concretado?

  ....

Para dejar bien claro el concepto podemos concluir que la visión es la capacidad de ver hoy (con mi mente) donde estaré en 1, 2, 5 o 10 años más, de haber realizado determinadas acciones.

Estas acciones pueden ser las mismas que hoy estoy haciendo, pueden ser acciones nuevas que desconozco o que debo aprender, o puede ser incluso no llevar a cabo ninguna acción (una acción pasiva). Cada una de estas acciones te colocará en un futuro determinado con un resultado determinado, que seguramente es el que HOY estás visualizando.

Lo que VEO (visión) determina lo que HAGO (acción), y lo que hago determina mis RESULTADOS (logros).

Tú eliges como verte en el futuro. Puedes verte superando y atravesando esa montaña de problemas y obstáculos en la que quizás hoy te encuentras, o puedes verte con más problemas, más fracasos, más arruinado y empobrecido de lo que hoy te encuentras.

¿Qué visualizas o imaginas hoy cuando ves tu futuro?

La mayoría de las personas trae inconscientemente (sin saberlo) una visión negativa de su futuro. Si le preguntas a alguien cómo se ve a final de año, ¡no sabrá de qué hablas! Cuando intentes explicarle a qué te refieres, es decir, por ejemplo, dónde te ves celebrando tu próximo cumpleaños, o el inicio de año nuevo, la primera imagen que viene a sus mentes es la misma casa, el mismo lugar de siempre, la misma gente de siempre, lo que implica también los mismos ingresos, el mismo trabajo, la misma rutina y mismas actividades.

El problema de una visión escasa del futuro es que actúas y accionas acorde a eso, lo sepas o no lo sepas.

Otros, en cambio, ven un futuro brillante, con sus metas cumplidas y sus objetivos superados. Y no tiene nada que ver con ser o no ser realistas, ni tampoco con el estado de tu situación actual. La visión no está condicionada por tu situación actual. Hoy puedes estar en una muy mala situación económica, y visualizarte próspero y triunfante de aquí a cierto tiempo (un año por ejemplo). **Esa visión, debe conducirte a realizar las acciones necesarias que se correspondan a la materialización de esa imagen de ti mismo, en el tiempo establecido. A esas acciones a iniciar, cuando están debidamente planeadas, las llamamos PLAN de ACCIÓN.**

Te dejo dos de mis frases favoritas para que las grabes en tu mente y las hagas tuyas:

"Por tanto, cualquier cosa que desees,
si crees que la recibirás, la tendrás".
Marcos 11:24 - La Biblia

"He transformado el mundo porque tengo
un equipo de gente que desconoce que no se puede".
Henry Ford

CAPÍTULO 12

METAS DE ÉXITO Y METAS DE FRACASO

Cuando en mis conferencias pregunto abiertamente al público quién quiere hacerse rico, casi todos levantan la mano rápidamente y con mucho entusiasmo. Luego, apunto a una persona en particular y le pregunto: ¿qué es hacerse rico para usted?, y la mayoría no sabe qué responder, o lo hace de forma abstracta y débil.

En otras ocasiones pregunto lo mismo pero de otra manera: ¿quién quiere aprender a crear y ganar su primer millón de dólares?, a lo cual otra vez ¡todos levantan la mano! Pero cuando apunto a una persona específica, y le pregunto: ¿para cuándo lo quiere usted?, no solo que no sabe responderme, sino que estoy seguro, jamás ha diseñado un plan para hacerse de esa meta.

También suelo preguntar en mis seminarios sobre el éxito y el dinero a aquellas personas que tienen como meta la Libertad Financiera o ganar su primer millón: ¿qué harás con tu millón de dólares? Y también aquí la respuesta siempre es totalmente incierta y débil.

Llegar a una meta determinada es como hacer un viaje. Tiene una fecha de inicio y una fecha de llegada también. Imagina que estás por salir de viaje a determinado lugar y ya tienes tus pasajes o tickets comprados. Seguramente tienes pasajes de ida y de regreso con una fecha exacta de salida y de retorno. Es decir, sabes exactamente cuándo partes y cuándo regresas. Sería absurdo decir *"me voy de viaje"* y cuando te preguntan *"¿Cuándo te vas de viaje?"*, tú respondas: *"No lo sé, pero me iré"*.

—*¿Y cuándo regresas?*

—*No lo sé tampoco, solo sé que algún día haré ese viaje.*

—¿Y a qué destino viajas?

—*NO, no lo sé.*

—*¿Y qué harás en ese lugar al que viajas?*

—*Tampoco lo sé.*

¿No te parece una conversación algo absurda?

Espero que si vienes a uno de nuestros seminarios, tengas bien preparada tu respuesta a la pregunta sobre cuánto dinero quieres ganar y para cuándo lo quieres ganar. Porque ese es el punto de partida para armar tu estrategia, tu plan, y el mapa hacia tu meta.

Un pilar del éxito nos dice:

No conseguirás nada que no se encuentre perfectamente diseñado e incorporado a tu agenda diaria.

Poner fecha a tus metas y luego desdoblar la meta en objetivos específicos más pequeños, cada uno de esos objetivos con sus respectivas fechas, indicando con el mayor lujo de detalles aquellas cosas que debes realizar cada día, desde el día de hoy hasta el día en que debes llegar a cada objetivo intermedio, eso, se conoce como PLAN de ACCIÓN, y para poder diseñarlo adecuadamente necesitas partir desde tus metas (aquellas cosas que quieres lograr).

MIS METAS

¿Qué tipo de ingresos quiero lograr? ¿Qué tipo de casa? ¿Auto? Y no solo se trazan metas para el área económica, sino para cualquier área de nuestra vida en la que busquemos crecer o mejorar:

- ¿Qué tipo de pareja o relación conyugal pretendo?
- ¿Qué tipo de relación con mis hijos?
- ¿Qué experiencias quiero darles a mis hijos antes de que sean mayores?
- ¿Qué experiencias quiero vivan o vivir con mis padres y/o abuelos?
- ¿Qué cosas nuevas quiero aprender?

Una vez definidas las metas podremos elaborar un plan de acción para cada una de ellas.

Piensa en una ciudad cualquiera. Imagina que debes tomar el coche y salir manejando hacia ella. ¿Saldrías manejando por cualquier camino o ruta? No. Primero que nada, buscarás la ruta más conveniente, revisarás un mapa quizás, preguntarás lo que no sepas, seguro chequearás las llantas de tu coche antes de salir y el nivel de aceite, agua y combustible, mínimamente. ¡Así es como funciona el éxito! Quiero llegar a un sitio determinado (mi meta), voy a conducir entonces, no por donde quiero, no por cualquier camino, sino por la mejor ruta, la más segura, la más rápida y la más confiable. Cualquier otro camino me llevará a cualquier otra parte, y no adonde pretendo llegar.

Consiste en que haya coherencia entre mis acciones y mis metas a alcanzar.

— Es absurdo no revisar el estado del coche antes de iniciar un viaje.

— Es absurdo ir por cualquier ruta o por cualquier camino.

— Es absurdo preguntar a cualquier persona que no tenga experiencia sobre este tipo de viaje, este destino o este camino.

— Es absurdo no planear los detalles fundamentales que hacen a la seguridad del viaje.

Sería lógico saber el tiempo que me tomará, el presupuesto necesario para hacerlo realidad (¿cuánto dinero necesitaré cada día de mi viaje?), etc.

La mayoría de las personas tiene metas y sueños que desea alcanzar, pero se dedica a caminar y/o avanzar en una dirección opuesta a las cosas que desea o quiere. Mientras no exista coherencia entre lo que deseas y el camino que vas a recorrer, tus metas no son una posibilidad. Seguramente tu camino te conducirá a un destino determinado, pero no será el destino que esperas alcanzar.

Muchas veces escucho personas quejarse, y decir:

"Yo no quería terminar así".

"Yo no quería enfermarme".

"Yo no quería lastimarte".

"Yo no quería estar gordo".

"Yo no quería esto para mi familia".

"Yo no quería tener deudas".

"Yo no quería vivir en un barrio como este".

"Yo no quería que esto sucediera".

"Yo hubiese querido que las cosas fueran de otro modo".

Esto sucede porque tomamos una dirección creyendo que es la ruta correcta, y al final nos damos cuenta de que no era ese ni el camino, ni el lugar al que pretendíamos llegar.

Lamentablemente a muchas personas les toma casi toda la vida darse cuenta de que el camino escogido para andar y alcanzar sus sueños fue un camino errado.

Tan importante como saber cuáles cosas deseo lograr en mi vida, es saber perfectamente cuales NO deseo que sucedan.

Déjame ayudarte con un ejercicio: completa por favor una lista de tus "NO QUIERO". Tus "NO QUIERO" son aquellas cosas que no quieres sucedan en tu vida, o si ya están ocurriendo, no quieres repetirlas ni volver a ellas. Mientras más completa sea tu lista más exacta será la definición de tus metas y más fácil la determinación del camino y las decisiones para llegar a ellas.

NO QUIERO

(Cosas que no quieres sucedan en tu vida).

....

....

....

....

....

NO QUIERO MÁS

(Cosas que hoy están sucediendo o estás viviendo y deseas erradicarlas de tu vida)

....

....

....

....

....

Definir las metas correctas es importante porque nuestro plan de acción va a girar en torno a esa meta y nuestra vida entera se verá afectada por ese plan de acción.

Pilar del éxito:

Un plan de acción que no afecta el curso diario de tu vida no es un plan de acción sino una expresión de deseos.

A veces las metas se encuentran en un rango demasiado bajo o escaso. Por ejemplo: *"Mi meta es ganar 500 dólares al mes"*. ¿Cómo crees que será tu vida con 500 dólares al mes? ¿Crees que vas a poder vivir como deseas? ¿Tu vida será prospera y podrás ayudar a tu familia y a otras personas? Obvio que No. Esa es una meta de rango bajo que seguramente te conducirá al estancamiento y endeudamiento rápidamente si llegaras a alcanzarla.

La meta está estrechamente vinculada a tu VISIÓN.

Visión grande, metas grandes. Visión pequeña, metas pequeñas.

Una vez que ya sabes lo que quieres lograr, diseñas un plan específico para cada meta u objetivo, y te pones a trabajar en ello hasta completarlo en el tiempo determinado.

Pilar del éxito:

Los soñadores tienen sueños, los ricos, en cambio, tienen planes para crear esos sueños.

CAPÍTULO 13

MI EMPLEO O PROFESIÓN, ¿ES PARTE DE MI PLAN DE ACCIÓN?

Si amas tu empleo o profesión y disfrutas de ella, quizás sí debería ser parte de tu plan. Poder escalar tu actividad o profesión a un nuevo nivel y así lograr tu éxito financiero con una actividad que amas, ¡es doblemente satisfactorio! Ya hablaremos de eso en los próximos capítulos. Pero si tu empleo o actividad no es lo primero que deseas hacer cuando llega el lunes, o impide que logres mayores y/o mejores ingresos, tendrás que proponerte sacarla de tu camino en el corto plazo, cuando tus nuevos ingresos (provenientes de tus nuevas fuentes de ingresos) sean suficientes y mayores a los que genera tu actividad actual. NO debes eliminar tu empleo actual por mucho que te disguste, hasta no consolidar tu nueva o nuevas fuentes de ingresos.

Las personas que se sienten a gusto con la filosofía de ir al trabajo 8 horas diarias, durante 40 años de sus vidas, para alcanzar el gran premio final (la jubilación), suelen ser personas agradecidas con su trabajo, responsables en lo que hacen, pero que no tienen grandes aspiraciones. Sus metas son de rango muy bajo y la única prioridad es cuidar la fuente laboral para poder continuar una subsistencia básica y/o moderada.

Estas personas no suelen desarrollar el DESEO de ir un paso más allá, ya que mientras esté cubierta su aspiración básica y un salario que llegue cada mes, se sentirán seguras y sin necesidad de hacer nada nuevo. Es más, todo lo nuevo, para ellas representa riesgo o locura. El planteo con el cual suelen justificar sus pensamientos es: ¿Por qué poner en riesgo lo que ya tenemos? ¿Por qué aspirar a más, si así estamos cómodos? ¿Por qué ser ambiciosos? ¿Acaso la ambición no es algo dañino y pecaminoso?

Una filosofía de vida con un rango de metas muy bajo, suele traer de la mano una rutina que adormece la capacidad creativa y la posibilidad de generar una visión más amplia de la vida. Dejas de vivir para simplemente sobrevivir y llevar el día a día. Si eso es lo que quieres, quédate con tu vida actual, no realices ningún cambio.

También caen en ese estado de habituación o acostumbramiento, a un estilo de vida bajo o moderado, aquellas personas que se sienten a gusto con su trabajo y/o profesión actual. *"José, ¿esté mal sentirse a gusto con tu trabajo?"*. ¡Claro que no! Es maravilloso que puedas disfrutar de aquellas actividades que debes desempeñar para ganar tu dinero y costear tu vida actual. Solo digo que continuamente debes preguntarte: ¿qué es lo que quiero? ¿Cuáles son mis metas? ¿En qué tiempo llegaré a ellas? ¿Es mi trabajo el medio adecuado para hacerlas realidad? ¿Me quedaré haciendo aquello que me gusta, o haré lo que me conviene a mí y a mis metas?

No estoy diciendo que debas abandonar mañana mismo tu trabajo actual, ¡todo lo contrario! Quizás debas aprender a destacarte dentro de él, y asegurarte que estés en la CIMA de tu trabajo, empleo, o profesión actual, si eso es lo que te agrada hacer.

Dejar tu actividad actual antes de tiempo, sin haber consolidado tus nuevas fuentes de ingresos primero, sería un camino directo a endeudarte y retroceder todos tus planes hacia la independencia financiera. A menos que cuentes con ahorros suficientes como para vivir sin tu empleo o profesión, mientras creas y construyes tus nuevas fuentes de ingresos, no debes hacerlo. El lapso de tiempo para crear y poner en marcha una nueva fuente de ingresos dependerá del tipo de negocio, el rubro, el mercado, y todas las variables que antes hemos mencionado (la habilidad del comerciante) y en la gran mayoría de los casos, nunca suele ser inferior a un año. Entonces, si no cuentas con ahorros suficientes como para sostener a tu familia sin necesidades, y sin retroceder en tu estado o nivel de vida actual durante al menos un año o más, tu trabajo o profesión actual es parte necesaria de tu plan de acción para alcanzar tu Libertad Financiera. No significa que debas permanecer demasiado tiempo en él, sino que hoy, al no contar con ingresos provenientes de otras fuentes, lo necesitas para cubrir tu costo de vida actual. Recuerda que cuando inicias una fuente de ingresos nueva (un negocio u oportunidad nuevos) es necesario contar con dinero suficiente para crearla. Si extraes o tomas dinero de tu nueva fuente de ingresos (nuevo negocio) para costear tus gastos personales o estilo de vida, estarás cometiendo el error de todo novato, descapitalizando tu negocio y provocando que el lapso de tiempo de consolidación de tu nueva fuente de ingresos sea indeterminado y quizás, muy extenso.

No puedes sacar dinero de tu nuevo negocio o fuente de ingresos hasta que esta supere su punto de equilibro y produzca ganancias. Esas ganancias se determinan después de haber cubierto costos fijos de tu negocio, costos de publicidad, costos de expansión, etc.

En mi página web: **www.JoseMontoya.info**, damos varios consejos y ejemplos sobre cómo manejar el dinero de tu negocio para que esos fondos retornen rápidamente en más dinero. Usar el dinero para crear más dinero es la regla número uno en todo negocio de éxito.

¿Por qué salir de una zona o estado en el que se está bien a gusto?

Si estás a gusto con tu trabajo actual, tu actividad actual o tus logros actuales, no existirá entonces el DESEO suficiente de superación tan necesario para dar inicio al proceso interno de formación de tus nuevas CREENCIAS sobre el dinero, ni la VISIÓN que dará origen a las nuevas IDEAS que necesita un plan de acción.

Moverte de tu situación actual implica hacer cosas que no has hecho antes.

Un pilar del éxito nos dice:

Todo lo que no sabes y todo lo que no has hecho antes, es lo que trae grandeza a tu vida.

Es justamente al otro lado de lo que no sabemos y de lo que no hemos hecho antes donde se encuentran cada una de las soluciones y oportunidades que nos permiten crecer y expandirnos. La persona que no conocemos, el socio que aún no tenemos, el maestro que necesitamos, la oportunidad que aún no ha llegado, la nueva fuente de ingresos que traerá holgura económica, todo eso y mucho más, ya existe y se encuentra fuera del radio en que habitualmente nos movemos.

Confieso que yo estaba muy a gusto con mi empleo en la fábrica (responsable de planta). No renegaba de mis responsabilidades. Por el contrario, me gustaba llegar temprano, jugaba a realizar mis tareas cada vez en menos tiempo compitiendo conmigo mismo y superándome cada día, buscaba aprender algo nuevo de mis superiores y/o del rubro en general, tomaba continuamente más responsabilidades y trataba de destacarme en cada una de ellas. Nunca tuve problemas con el reloj,

¡hasta pasaba a veces dieciocho horas seguidas en el trabajo! Y no lo hacía pensando en el sueldo o en el pago de las horas extras o adicionales que podrían generarse, sino simplemente deseaba cumplir mis tareas, responder adecuadamente a la empresa que me había contratado, superar los objetivos y metas propuestos por la gerencia, destacarme siendo el mejor en mi área, y aportar algo de valor en la organización. Y sí, ¡vaya que lo conseguí!

Pero, ¿qué cambió luego mi perspectiva sobre el trabajo, esa primera meta lograda y mis sueños de aquella época?

Noté cómo algunos compañeros de trabajo que ya tenían varias décadas empleados en la fábrica, llevaban una vida completamente monótona, aburrida, sin desafíos y sin haber logrado grandes cosas. Un día como cualquier otro, a altas horas de la noche, se retiró de la planta industrial junto conmigo uno de mis nuevos supervisores. Un hombre muy preparado, ingeniero, uno de los mejores de su rubro, quien tenía a cargo una familia, metas, sueños y muchos planes hacia futuro. En la mañana del día siguiente recibimos la desagradable noticia: mi buen compañero y jefe había sufrido al regresar a su hogar un paro cardíaco que le provocó la muerte de forma inmediata.

No hablamos de una persona enferma, ni de una persona de avanzada edad. Hablamos de una persona por debajo de los cuarenta años con buen estado de salud, a la que por exceso de trabajo y estrés laboral, su cuerpo dijo basta.

Así fue cómo empecé a cuestionar el rumbo que yo estaba dando a mi vida: esa misma tarde me retiré antes de la empresa y me pregunté: esta persona que acaba de fallecer, estuvo haciendo carrera dentro de la empresa y trabajó duro dentro de su profesión durante varios años, sin descanso... y todo ¿para qué? ¿Es ese el modelo a seguir y replicar en mi vida? ¿Así es como pienso terminar con todo este trabajo? ¡Mi vida era exactamente igual a la de este hombre!

Me dije a mí mismo: si regulo un poco mi trabajo, disminuyo los niveles de estrés y responsabilidades, quizás esquivo el camino a un paro cardíaco o a esas enfermedades modernas provenientes de nuestras preocupaciones económicas y/o laborales. Pero, llegar a la vejez, habiendo trabajado toda la vida, sin alcanzar nada significativo... ¿Eso es lo que deseo?

Los jóvenes por lo general, tienen tiempo, pero les falta dinero. Los adultos por su parte, tienen dinero, pero les falta tiempo. Y finalmente llega la última etapa de la vida, la vejez, donde quizás tengas ambas cosas, dinero y tiempo, pero falta juventud, energía y vitalidad...

En estos términos, ¿cómo definirías a una persona exitosa?

— ¿Alguien que tiene tiempo y no tiene dinero?
— ¿Alguien que tiene dinero y no tiene tiempo?
— ¿Alguien que tiene dinero y tiempo, pero no la vitalidad suficiente para disfrutar a pleno ambas cosas?

Entender que la vida no es para siempre y que el tiempo que tenemos para alcanzar las cosas que queremos es muy, pero muy limitado, me dio otra percepción del tiempo y la necesidad de lograr mis sueños en el menor tiempo posible.

Cuando entré a la fábrica donde trabajé casi diez años de empleado, le prometí a mi madre sacarla del trabajo que ella tenía en ese entonces. Ella empezó a trabajar cuando mi padre falleció. A mi padre, lo mató un conductor ebrio que subió a la banquina con su coche. Mi padre volvía de trabajar montado en una bicicleta vieja que usaba para movilizarse con sus herramientas de trabajo. Mi padre era albañil y era el único sustento (el único ingreso) de nuestro hogar. Ni bien papá falleció, mi madre tuvo que salir a buscar un trabajo para poder sostenernos y lograr que mi hermana y yo pudiéramos terminar la escuela. Como mi madre no posee estudios básicos no consiguió un empleo fácilmente, por lo que terminó cocinado y lavando ropa en una escuela o convento para sacerdotes y/o curas católicos, donde la contrataron para brindarle ayuda y contención a cambio de un salario extremadamente bajo.

Después de diez años de trabajar como empleado de la fábrica, yo no solo no había podido ahorrar dinero, sino que aún mi madre continuaba en su trabajo de cocina y limpieza en el convento. ¿Qué pasó con mi promesa? ¡Diez años habían pasado! ¿Cómo miraría a mi madre a los ojos para decirle: *"Mamá, espérame otros diez años más"*?

Yo **no** era de esos jóvenes que gastan su dinero en salidas con los amigos, ni en comprar ropa, ni en ninguna de esas aspiraciones comunes que a veces aparecen en los jóvenes. Ponía todo mi dinero ganado y lo que generaba en el hogar para colaborar con la casa y con mi madre.

Cuando decidí por primera vez analizar los resultados de los últimos diez años de mi vida, me encontré con un panorama por demás desalentador. Estaba prácticamente igual que diez años atrás. Misma casa, mismo auto, sin ahorros, y sin grandes metas y/o logros alcanzados. Allí fue cuando empecé a replantearme el modelo tradicional de ganarme la vida y el rumbo que había tomado. Comencé a cuestionar el sistema, mi educación, mi entorno, mis creencias, mis posibilidades, absolutamente todo. En ese cuestionar, al cabo de un tiempo, empezaron a llegar algunas respuestas de forma vaga, pero que iniciaron un proceso mental diferente en mí: nuevas creencias, nuevos planteos, nuevas búsquedas de información, nuevos horizontes, en fin... dejé de estar quieto, enfrascado en mi vida y mi trabajo, y empecé a dar lugar a información nueva que poco a poco abrió un panorama que yo ignoraba: ¿cómo puede ser que algunas personas que trabajan la misma cantidad de horas que yo, o menos incluso, ganen diez, veinte o treinta veces más que yo? ¿Será eso posible? No podía responderlo en ese entonces, pero inicie la búsqueda: ¿quiénes son? ¿A qué se dedican? ¿Cómo puedo ser uno de ellos? ¡Y vaya que esos replanteos acarrean cambios en nuestra vida!

Dejé rápidamente de poner el ojo en mis colegas gerentes e intentar imitarlos para ser como ellos, trabajadores responsables, dedicados y de largas jornadas de trabajo por poco dinero, abocados por completo a la vida laboral y al poco progreso, para poner los ojos en el DUEÑO de la empresa, una persona muy joven que se la pasaba de viajes al extranjero (todos de placer y ocio). Este muchacho de treinta y tantos años, visitaba la planta como quien visita al odontólogo, muy pocas veces, y por muy poco tiempo. Daba algunas instrucciones, pedía algunos tableros de control, chequeaba que su dinero siguiera fluyendo y reproduciéndose, y a otra cosa; regresaba a su vida real (su familia y sus metas personales).

¿Será que las personas que llevan un nivel de vida superior, con un rango de metas alto o muy alto, saben algo que yo no sé? Así empezó mi viaje de investigación y análisis del mundo empresarial. Conocí cientos de empresarios, algunos con más éxito, otros con menos, pero de TODOS ellos aprendí lecciones valiosísimas sobre lo que hay que hacer, y lo que NO hay que hacer. De hecho, aprendí mucho más de los comerciantes fracasados que de empresarios de un gran nivel de éxito. No porque esa haya sido mi intención, sino porque era la única gente a la que tenía acceso en aquel entonces.

La primera lección que saqué en limpio fue la siguiente: conocer las causas del éxito de grandes empresarios no garantiza el mismo éxito en mi vida. Porque yo no tengo los mismos recursos, ni los mismos contactos, ni la misma formación que tienen ellos. Pero conocer las causas de fracaso de los comerciantes pequeños que no lograron sus metas, sí me permitió armar una lista de situaciones y causas que yo no debía permitir que ocurrieran en mi vida o en mis negocios. Pensé: **quizás no pueda garantizar mi gran éxito, pero sí puedo asegurar mi NO fracaso, y ese, es un excelente comienzo.**

CAPÍTULO 14

¿QUÉ HACER CON MI EMPLEO ACTUAL?

Nuestra independencia financiera debería ser construida en poco tiempo, para luego poder ocuparnos de cosas mayores y/o mejores.

Si haces cálculos para saber a qué dedicas la mayor parte de tu tiempo, descubrirás que durante nuestra infancia y adolescencia dedicamos los mejores momentos de nuestro día a día al estudio, la escuela y/o la universidad. Luego, ya de adultos, la mayor parte de nuestro día será entregada y consumida por una ocupación, profesión o empleo, que supuestamente nos traerá satisfacción y progreso.

Más allá del grado de satisfacción y/o progreso que pueda traer tu actividad actual, si te quedas atrapado por la receta tradicional, "trabaje todo lo que más que pueda y disfrute su vida y su familia en el tiempo sobrante", siempre crearás arrepentimientos al final de tu vida o con la llegada de la vejez.

Si deseas alcanzar mayores logros y/o Libertad Financiera, tendrás que aprender a crear un plan de acción con actividades específicas, que cada día te coloquen más cerca de tus sueños y tus metas.

— Tu trabajo actual, ¿qué tiempo consume cada día en tu agenda diaria?

— Tu ocupación actual, ¿te coloca cada día más cerca de tus metas y/o sueños?

Más del 90% las personas considera que su EMPLEO es una buena opción para lograr sus metas. Si tus metas no son tan significativas, o si pertenecen a un rango bajo, puede que con un trabajo en relación de dependencia logres cumplirlas y estar conforme con ello. Sin embargo, si tus metas son de rango alto y pretendes lograr independencia financiera, mientras más tiempo permanezcas en el empleo, viviendo de un salario fijo que únicamente cubre tu costo de vida actual, sin permitir incrementar tus ahorros e inversiones (creación de nuevas fuentes de ingresos) más lejos estarás cada día de vivir la clase de vida que anhelas.

No estoy diciendo que el empleo (o ser empleado en relación de dependencia) sea algo malo. Al contrario, debe ser utilizado como lo que realmente es: el primer escalón. ¡Sí, el primer eslabón de tu plan de acción, parte de un propósito mayor al que deseas llegar!

El empleo, sin dudas, ha sido para mí el MEDIO TEMPORAL para iniciar una primera relación con el dinero (manejo del dinero), cometer algunos errores, y aprender a avanzar al siguiente nivel. El problema, es cuando nos quedamos en el empleo más tiempo del que deberíamos.

El empleo es el sitio ideal para quienes quieren vivir sin correr riesgos, recibiendo cada final de mes una suma fija de dinero para cubrir sus gastos de siempre. Parece ser la opción fácil para millones de personas que cada día lo eligen, evitando adentrarse en actividades independientes (por cuenta propia) para las que se requieren una dosis alta de creatividad, visión, control emocional, y disposición para resolver los problemas típicos del mundo de los negocios y la creación de diversas fuentes de dinero.

Ser empleado significa resignar tu tiempo para que un tercero sea quien disponga de él. En el empleo no serás tú quien defina las tareas, ni los objetivos, ni las metas, ni el nivel de ingresos que pretendes percibir.

En contraparte, trabajar por tu cuenta, bajo tus propios términos y responsabilidad, no es tarea fácil. Aunque la recompensa siempre es mayor, no solo desde el punto de vista dinerario sino también desde el plano de tu crecimiento y desarrollo personal, psicológico y emocional, ya que implica un aprendiza nuevo y superior al común de las personas.

¿Es importante el empleo? ¡Claro que lo es! ¡Es el escalón inicial en la carrera a tu independencia financiera!

La mayoría de los hombres ricos pasaron alguna vez por un empleo. Incluso Bill Gates, el fundador de Microsoft, el hombre más rico del mundo por varios años consecutivos, trabajó de empleado haciendo programas de computación para terceros, para reunir así algo de dinero y comprar las cosas que necesitaba para hacer sus experimentos informáticos y pagar sus estudios en aquella época.

Igualmente, el fracaso proviene también de quedarse demasiado tiempo en el empleo o en una actividad de ingresos bajos. Cuando algo que debió ser temporal y el medio para escalar de nivel, se convierte en algo único y permanente, conlleva el estancamiento.

El PAPA FRANCISCO lo menciona de diferentes maneras en sus conferencias alrededor del mundo. El sistema económico actual no está diseñado para enriquecer a las personas sino para oprimirlas y empobrecerlas, ya que roba todo tu tiempo y no produce suficiente progreso.

El dinero proveniente del EMPLEO o de tu primera actividad de ingresos bajos debe ser correctamente administrado, para que con él puedas dar inicio a fuentes paralelas de ingresos adicionales. El problema es que la mayoría de las personas mal-administra el dinero de su fuente temporal (el empleo u ocupación inicial), utilizando ese dinero únicamente para consumo y/o gasto, haciendo que esta fuente temporal (el empleo o actividad actual) se convierta en tan necesaria, que pasarán a depender de ella por el resto de sus vidas, anulando la posibilidad de ir tras nuevos caminos y mejores fuentes de ingresos.

Mientras estás en tu empleo o en tu actividad actual, necesitas paralelamente adquirir los conocimientos necesarios para poder dar inicio a una nueva actividad más rentable y más lucrativa de la que hoy ya tienes.

CAPÍTULO 15

LAS PREGUNTAS CORRECTAS CONDUCEN A LAS RESPUESTAS CORRECTAS

Hemos visto los detalles menores para comenzar el trabajo hacia tus metas. Nos adentraremos ahora en el trabajo REAL que debes realizar para concretar tu PLAN de ACCIÓN y como consecuencia del mismo, concretar cada uno de tus sueños y metas. Mencionamos que el primer paso es definir claramente nuestros sueños y el estilo de vida soñado. El siguiente paso, ahora es **traducir ese sueño a una meta específica**.

"Mi sueño es ganar más dinero".

"Mi sueño es tener una casa grande".

"Mi sueño es viajar".

"Mi sueño es lograr Libertad Financiera".

"Mi sueño es ayudar a otras personas".

Decirlo o escribirlo de ese modo no es suficiente, ya que no estamos siendo específicos sobre el objetivo o meta que se pretende alcanzar.

Repasemos un poco lo que vimos antes:

1) Especificar la META

¿Cuánto dinero quiero ganar?

....

¿En qué tiempo quiero ganar ese dinero?

....

¿Cómo es la casa que quiero tener?

....

¿En qué barrio estará?, ¿cuántas habitaciones tendrá?, ¿tiene jardín, tiene terraza, tiene pileta adentro o pileta afuera?, ¿con gimnasio, sin gimnasio, con sala de juegos?, ¿garaje doble, triple?, ¿cuál es el tamaño de su frente, tipo de aberturas, tipo de muebles?
¡Eso es ser específico!

¡Quiero viajar!
¿Adónde quiero viajar? ¿Me dan un boleto a Villa Carlos Paz y listo, sueño cumplido?
NO. Entonces: ¿adónde quiero viajar? ¿A Disney, al Mediterráneo, a las Islas Griegas, a África, a la Polinesia, a Hawái... ¿adónde y cuándo quiero viajar?
¡Eso es ser específico!

¡Quiero un coche nuevo!
¿De qué color? ¿Qué modelo? ¿Qué marca?
¡Eso es ser específico!

¡Quiero ganar más dinero y trabajar menos!

¿Cuánto dinero más quieres ganar? ¿Cuánto menos quieres trabajar? ¿Para qué necesitas o quieres ese dinero extra? ¿Qué harás con él? ¿Qué harás con el tiempo liberado o adicional? **¡Eso es ser específico!**

¡Quiero ayudar a otras personas!

¿A quiénes pretendes ayudar? ¿A los que sufren alguna enfermedad? ¿A los que padecen hambre? ¿A los desamparados? ¿A cuántos de ellos? ¿De qué manera? ¿En qué tiempo? ¿Con cuáles medios?

¡Eso, es ser específico!

2) Cuantificar la META

Es decir, convertir esa META, el viaje, la casa, el auto, o lo que fuera, en dinero.

¿Cuánto dinero necesito para poder hacer REAL la meta o sueño?

El dinero es el medio con el que voy a dar cumplimiento a ese viaje, esa casa, ese auto, o cualquiera sea el objetivo que pretendo alcanzar. **Sea cual sea la meta, necesito ganar una suma determinada de DINERO para poder concretarla.** Entonces el próximo paso es elaborar un PLAN DE ACCIÓN para conseguir el dinero que hará real esa meta.

3) Elaborar el PLAN DE ACCIÓN

A nuestra META le vamos a preguntar CÓMO.

Ejemplo:

Meta = Quiero ganar más dinero.

Entonces pregunto: ¿Cómo puedo ganar más dinero?

Opciones para ganar más dinero:

— Trabajar más, hacer horas extras, pedir un ascenso.
— Buscar otro trabajo, cambiar de empleo, hacer otra actividad.
— Empezar un negocio propio, desarrollar una nueva habilidad, etc.

¡Hasta que no hacemos las preguntas correctas no van a venir las respuestas correctas!

Una vez que has definido el CÓMO, le preguntas ahora a la opción elegida: ¿CUÁNDO y en qué TIEMPO lo harás?

El condimento que antecede al plan

La información es solo acumulación de datos que no adquiere fuerza ni poder hasta entrar en movimiento. La habilidad que separa a los buenos de los muy buenos es la capacidad para tomar ACCIÓN ahora mismo. (HOY – AHORA)

— El hombre aquel al que todos criticaron por su idea de traer aquellas lámparas desde China para venderlas de forma local. Muchos otros también recibieron la propuesta de las lámparas, pero solo él tuvo la iniciativa de echar mano e importarlas. El hombre se hizo millonario.

— El hombre que asistió a una fiesta, y en vez de beber y divertirse solamente, empezó a hablar con la gente como si la conociera de antes, relevando datos e información de todos los invitados, agregando cada dato a su agenda. Consiguió los contactos que hoy financian su proyecto.

— El gerente que leyó en una revista el método para administrar procesos productivos de manera eficaz, y que pese a la contra de sus colegas llevó a cabo. Mejoró un 25% la productividad de su equipo y toda la empresa.

— El joven que reunió valor para encarar una mujer desconocida en un bar, se casó con ella cuatro meses más tarde y lleva 25 años de matrimonio con una relación intensa como la del primer día.

Todas historias que reúnen un común denominador: ACCIÓN.

La palabra clave es HOY.

ACTUAR HOY a pesar de toda la larga lista de justificaciones y excusas que puedas tener. Muchas de tus explicaciones para NO empezar HOY quizás te parezcan válidas. Sin embargo, tienes solo dos opciones:

1) Creer en tu justificación y explicación de POR QUÉ NO vas a empezar hoy, y posponer.

2) Empezar a pesar de tus justificaciones. Dar el primer paso de igual modo.

Cuando pregunto a las personas en mis talleres en vivo: ¿quién tiene iniciativa?, me sorprende la cantidad de personas que creen poseer esta escasa habilidad. Tener actividad o pasar el día ocupado en algo no significa poseer iniciativa. Actividad no es sinónimo de Productividad. Puedes comenzar muy temprano y hacer muchas cosas durante el día, eso no significa que estés produciendo resultados en la dirección que tus metas requieren.

Hacer el trabajo que nos toca cada día es nuestro deber y responsabilidad, está muy bien, pero eso dista mucho de poseer iniciativa.

INICIATIVA es:

— Hacer un par de llamadas extras cuando ya has cumplido tu cuota de llamados del día.

— Intentar mejorar lo que se está haciendo, aunque parezca que ya es bastante bueno.

— Hacer más de lo que te piden o de lo que los demás esperan que hagas.

— No conformarte con la respuesta que recibes, y continuar buscando información adicional sobre el tema.

— Seguir entrenando después de hora, incluso cuando te quedas solo y todos ya se han ido.

— Ofrecerte como voluntario para trabajar en algún proyecto.

— Llegar primero que los demás, levantar la mano, preguntar sin importar lo que piensen o diga los demás, todo eso, es INICIATIVA.

PLAN DE ACCIÓN: QUÉ, CUÁNDO Y CÓMO

Sea cual sea tu meta: un auto nuevo, o una casa nueva, salir de las deudas, un viaje a un lugar exótico, un reconocimiento, una medalla de oro en las Olimpiadas, Libertad Financiera, o lo que fuera, necesitas un plan.

El plan de acción nos indica QUÉ hacer, CUÁNDO hacerlo y CÓMO será hecho, para llegar a nuestra META en el TIEMPO esperado.

Un Plan de Acción es la agrupación de acciones específicas en pos de alcanzar una meta puntual o resolver un problema específico, según el orden y TIEMPO en que estas deben ser ejecutadas y/o resueltas. Un PLAN de ACCIÓN correctamente elaborado es un puente directo a la concreción de nuestras metas.

¿Qué debe incluir mi PLAN DE ACCIÓN?

1– El plan de acción debe incluir aquellas cosas que necesito aprender para poder llegar a mis metas.

Recién a mis 30 años de edad entendí que la educación que nos prepara para lograr nuestros más grandes sueños y metas no se obtiene ni en la escuela ni en la universidad, sino que es una educación que necesita ser buscada por nuestra propia cuenta. Esta clase de formación e información debe estar incluida en nuestro plan de acción, ya que serán estos nuevos conocimientos los que nos permitirán gestionar de manera adecuada las acciones relacionadas con la implementación de nuestro plan.

Un pilar del éxito nos dice:

Nuevos desafíos se logran y resuelven con nuevos conocimientos.

¿En qué cosas consideras que debes desarrollarte para poder estar entre los mejores de tu rubro o del rubro que pretendes explotar o incursionar? ¿Cuáles conocimientos necesitas buscar y aprender al detalle para alcanzar la meta que anhelas? ¿Cuáles son aquellas cosas que requieres saber con exactitud y abundancia para poder brillar en lo que haces?

Transcribe estas preguntas a tu carpeta de trabajo y no avances hasta elaborar las respuestas a cada una de ellas.

2– El plan de acción debe incluir los medios y herramientas que necesitas para poder llegar a cada una de tus metas, ya sea dinero para iniciar tu proyecto, ya sea el tiempo diario que debes separar para trabajar en el logro de tus metas o implementación del plan. Son todos recursos necesarios para dar concreción a las actividades de tu plan de acción, por lo que deben estar incluidos en el mismo.

¿Cuáles son los recursos que necesitas para poner en marcha tu plan de acción? ¿De dónde provendrán esos recursos o cómo serán obtenidos? ¿En qué tiempo dispondrás de ellos? Cada una de estas respuestas debe ser parte de tu plan de acción. Transcribe también estas preguntas a tu carpeta de trabajo, y no avances hasta elaborar las respuestas a cada una de ellas.

3– El plan de acción debe incluir aquellas personas a las que acudirás en busca de consejo y sabiduría cada vez que necesites introducir mejoras o hacer cambios en las acciones programadas del plan. Elabora una lista de personas que ya hayan logrado el nivel de éxito al que aspiras para de ese modo asegurar contacto y sintonía con alguien que haya transitado el camino que pretendes comenzar, pues los consejos son gratis y los da cualquiera, incluso sin que los pidas. La gente opinará y te dará consejos permanentemente sobre lo que debes y no debes hacer. ¡Cuidado a quién escuchas! ¡Cuidado a quién solicitas aprobación o consejo! Lo que necesitas en esta instancia es un consejo de VALOR. El consejo que viene de personas con más experiencia que tú, con más habilidades que tú, y que hayan dado cumplimiento a una meta o sueño similar al que pretendes alcanzar.

"Si encuentro la persona indicada, mas instruida y sabia que yo, sin dudarlo le doy la mitad de lo que tengo para que me instruya a administrar y quintuplicar la otra mitad".
Anónimo

4– El plan de acción debe incluir aquellas tareas necesarias para producir los resultados diarios requeridos. Ya mencionamos antes lo fundamental que es dividir el objetivo final (la meta), en subobjetivos más pequeños, que a su vez se disgregarán en tareas específicas más pequeñas que deben ser enlistadas todas y cada una, para ser concretadas en un tiempo específico cada una de ellas. Solo así podremos llegar en tiempo y forma al resultado final esperado.

Si no se supervisan continuamente los subobjetivos y las tareas diarias, el plan y su objetivo no se cumplirán. Por esta razón el plan de acción debe indicar claramente el orden en que cada tarea será ejecutada. Las que se harán primero, las que harán después, e incluso aquellas cosas que necesitamos dejar de hacer para dar espacio y tiempo a las actividades nuevas requeridas por el plan de acción. Todas deben estar incluidas y especificadas (con tiempo de duración y fecha de ejecución) en el plan de acción.

El plan de acción determina así cada acontecimiento que debo realizar (tareas y subobjetivos), la forma detallada en que se hará, y el plazo en que se ejecutará. Por esto tiene una fecha de inicio y una fecha de caducidad (cada tarea, cada subobjetivo, y el mismo plan).

El plan de acción puede durar desde una semana, hasta 1 o 2 años. Una duración mayor solo traerá inexactitud en la planeación y definición de las tareas. Esto no quiere decir que no tengas una proyección a largo plazo; lo que buscamos a la hora de plasmar las acciones concretas y sus plazos de ejecución es dar garantía del cumplimiento de las mismas y del objetivo final perseguido. No podemos saber qué cosas exactamente estaremos haciendo dentro de 2, 3 o 5 años, pero sí sabemos las que haremos hoy, mañana, y/o la semana próxima.

En mi caso particular, el tiempo máximo sobre el cual proyecto un plan de acción es de 120 a 180 días. Incluso así, siempre surgen cambios que alteran a veces el rumbo del plan de acción y los plazos de cada subobjetivo. El éxito de un plan de acción radica en la habilidad de quien gestiona dicho plan para que a pesar de cada desviación que pudiera aparecer en el camino, **controlar y corregir a tiempo, con las acciones correctivas**

que sean oportunas, para que el resultado final pretendido no se vea ni desplazado ni alterado.

La concreción de mi primer plan de acción de 120 días da siempre inicio a un siguiente plan de acción, con otros objetivos (nuevos), otras metas (nuevas) y otros propósitos (nuevos y más amplios quizás).

El hecho de que el plan tenga fechas concretas que deben respetarse y objetivos internos que deben ser cumplidos, no significa que las actividades y los objetivos contenidos no puedan ser modificados para adaptarnos a los cambios del mercado y/o a los imprevistos que pudieran suceder.

No caigas en la trampa de creer que el plan de acción es algo rígido y que porque así se proyectó debe ser ejecutado de esa manera. Por el contrario, el plan de acción debe ser algo flexible y adaptarse a lo que vaya ocurriendo.

Groupon es un caso de éxito mundial que comenzó con un plan, un objetivo, un nombre o marca comercial, y a mitad de camino y en plena marcha de su plan de acción, y porque supieron detectar nuevas oportunidades e ideas creativas, se modificó casi en un 100%. ¡Tanto su nombre como su isologo fueron modificados a mitad de camino! Unos pocos años después Groupon se convirtió en una empresa mundial con una facturación exorbitante. Sin embargo parece que ninguna lección se aprende para siempre: actualmente Groupon pierde terreno frente a las aplicaciones móviles y cupones de descuentos digitales, que supieron desde la nada enfrentarse a multinacionales gigantescas como esa tan solo con una idea nueva y flexibilidad en su plan de acción. La habilidad de medir, corregir y reimplementar debe ser parte de tu plan de acción y tomar un buen tiempo cada semana.

A la hora de medir, corregir y relanzar o reimplementar, la velocidad cuenta. No pospongas las mediciones de resultados, no postergues la implementación de correcciones ni la resolución de problemas. Los problemas aparecerán de forma natural en el normal desarrollo de tu plan de acción. **Posponer la resolución de una situación solo hará que la situación inconclusa obstruya el avance del plan y mantenga tu cabeza fuera de juego, contaminando tu creatividad, tu visión, tus ideas y tu accionar.**

Si consideras que hoy no puedes superar o resolver un problema, no es mala opción despejarte un poco y tomarte un respiro. Puedes incluso abandonar tus tareas e ir a ver una película al cine o hacer algo inusual. Mañana a primera hora, lo primero que harás será resolver DEFINITIVAMENTE esa situación sin más demoras.

Un pilar del éxito nos dice:

Una de las principales causas de fracaso es postergar las tareas y acumular demasiados pendientes sin resolver.

¿Qué debes hacer hoy para lograr cada objetivo en tiempo y forma?...

No existe ninguna garantía en la ejecución de tu plan de acción, la única garantía eres tú.

— APRENDIZAJE: ¿Qué debo **aprender** hoy para iniciar las actividades de mi plan de acción adecuadamente?

— RECURSOS: ¿Qué tareas o acciones ejecutaré hoy para reunir los recursos y/o medios que mi plan requiere?

— PERSONAS: ¿Cuáles son las personas que contactaré hoy mismo? ¿De qué manera lo haré? ¿Con qué objetivo?

Las personas con mayor éxito que el nuestro son personas generalmente muy ocupadas, ya sea en sus propios asuntos de negocio, o por su vida social y personal. Debes saber entonces cómo acercarte a ellas. Busca el contacto adecuado, busca la mejor manera de presentarte, elabora las preguntas que harás con antelación, etc. Da una excelente impresión. No te veas como un necesitado, ni vayas a rogar por un consejo, ya que eso nunca atrae a los empresarios exitosos. Tampoco trates de vender tu proyecto, solo pide el consejo que necesitas y deja la puerta abierta para poder regresar otra vez.

-ACTIVIDADES: ordena los pasos y tareas que tendrás que llevar a cabo para dar inicio a tu plan o idea de negocio. Una vez que tengas tu lista de tareas a realizar, define cuáles hacer primero, cuáles hacer después, y después, y después...

Coloca un plazo y fecha de caducidad a cada tarea/actividad. A medida que avances en la realización de cada una de ellas, repasa tu lista a diario, y reordénalas si es necesario.

Un pilar del éxito nos enseña:

La capacidad de una persona para fijar prioridades en su agenda diaria y ejecutarlas, define qué tan lejos llegará en la vida.

Te sugiero ir a mi web, **www.JoseMontoya.info**, a buscar recursos sobre este tema. Por una cuestión de formatos y temática del libro, es muy breve lo que he podido agregar a este capítulo sobre puesta en marcha de un plan de acción. Te espero en mi web para seguir dándole forma a tu plan de acción.

CAPÍTULO 16

¡HAZ QUE TU IDEA FUNCIONE!

Los sueños mientras más grandes son, menos gente los entiende. Ideas sobran, ideas todos tenemos. El secreto no está en la idea, sino en el MODO en que esa idea será llevada a la práctica.

Saber canalizar la idea para que esta se convierta en realidad y que esa realidad sea lo más próxima a nuestras expectativas, no es tarea sencilla y es aquí donde la mayoría tiene problemas.

Emprender el plan de acción necesario para concretar nuestras ideas y lograr nuestras metas, tendrá un alto impacto no solo en nuestra vida laboral, sino también en nuestra vida personal.

Iniciar un negocio propio o poner en marcha una idea propia, por sobre todas las cosas, pondrá a prueba nuestra determinación y nuestra capacidad para adaptarnos a los sucesivos imprevistos que ocurrirán desde el primer día.

Si bien la razón de contar con un plan de acción es tratar de tener las actividades lo más acotadas y programadas posibles, creer que todo saldrá según lo planeado es ridículo.

A medida que avances en la ejecución de tu plan de acción, tu personalidad y carácter se verán enriquecidos por las nuevas experiencias y conocimientos adquiridos. Incluso cuando las cosas no salgan acorde a lo planeado (¿fracaso?) aprenderás rápidamente la lección sobre aquellas cosas que no deben hacerse o que no funcionan, y continuarás por otra vía rápidamente, enderezando tu plan de acción y/o recuperando el tiempo perdido.

Un empresario no es una persona común del promedio, es alguien que atravesó las mil y una y así y todo salió airoso de cada dificultad y cada conflicto. Supo encontrar respuestas, resolver situaciones difíciles, reponerse ante la adversidad y como consecuencia de ello logró forjar su carácter, sus costumbres, sus hábitos, sus capacidades, su manera de pensar y ver la vida, un camino que lo convierte en la clase de personas que hace realidad sus metas y sus sueños.

En los capítulos anteriores, vimos el siguiente proceso:

Ardiente Deseo de Superación

⇩

Creer que puedo

⇩

Idea acorde a lo que creo que soy capaz

⇩

VISUALIZAR el proceso de puesta en marcha y el objetivo logrado

⇩

Ideas mejoradas acorde a la visión

⇩

y finalmente, poner la idea en marcha para materializarla.

Las ideas llegan a nosotros solo cuando conscientemente decidimos que queremos más de lo que tenemos y estamos decididos a ir por nuestras metas y nuestros sueños, dispuestos a pagar el precio que haya que pagar por llegar a ellos.

En ese estado del ser humano se produce la motivación suficiente para despertar el proceso de generación de ideas necesarias para accionar en dirección a nuestras metas. Las ideas y la creatividad se nutren de nuestra PASIÓN y del DESEO de superarnos para alcanzar un determinado objetivo.

Pero no bastará con tener una IDEA. Ya vimos cómo en el mismo proceso la idea puede sufrir modificaciones (mejoras) como consecuencia de nuestra VISIÓN mejorada, o por los imprevistos que surjan en el camino. Esto implica analizar la idea en busca de nuevas ideas y/o rumbos alternativos que permitan la introducción de mejoras continuas a nuestro plan de acción.

El último eslabón de nuestra fórmula dice: "Poner la idea en marcha para materializarla". Este último eslabón es el primero dentro del proceso de ejecución del plan de acción.

EJECUCIÓN DE LA IDEA O PROYECTO

Aquí es donde pondremos a prueba la viabilidad de nuestra maravillosa idea. Contrastaremos la idea y nuestros planes con la realidad misma.

Superan el 40% los proyectos y negocios que no alcanzan su primer año de vida, y más del 70% cuando contabilizamos los que mueren antes del tercer año. Esto no se debe a la falta de pasión del emprendedor ni a la falta de determinación para lograr su sueño, sino a la falta de planeamiento inicial a la hora de determinar los recursos necesarios, el financiamiento adecuado, la correcta gestión financiera y los conocimientos requeridos para la resolución de problemas.

PLANEACIÓN INICIAL DE MI PROPIO NEGOCIO

El dinero no llegará hasta que no tengas algo de valor para ofrecer o llevar al mercado, y que este último (el mercado) esté dispuesto a pagar por ello.

1 – ¿Qué llevaremos al mercado? ¿Un producto o un servicio? ¿Será un producto propio? Es decir, ¿lo fabricaremos y/o elaboraremos nosotros? ¿O será un producto de un tercero? O sea, ¿haremos reventa del producto o servicio que otro nos proporcionará?

2 – ¿Cuál problema resuelve específicamente el producto o servicio que comercializaremos? ¿De qué forma lo hace? Esa forma o manera en que nuestro producto o servicio resuelve el problema de nuestro público (cliente objetivo), ¿es más efectiva que aquella utilizada por la competencia?

3 – ¿Cuál será el canal por el cual llevaremos nuestro producto al mercado? Es decir, ¿dónde encontrará mi cliente potencial mi producto o servicio para poder comprarlo o contratarlo?

4 – ¿Cuál será mi mercado objetivo y qué tamaño tiene? ¿A quién dirigiré mi idea, producto o servicio? ¿A clientes (con mi propio negocio) o a un empleador (mis servicios en relación de dependencia)? Dicho de otra manera, ¿cuáles son las personas que tienen el problema que mi producto o servicio resuelve? ¿Hombres? ¿Mujeres? ¿Niños? ¿Qué edades tienen? ¿Cuáles intereses tienen? ¿A qué se dedican? ¿Qué promedio de ingresos poseen? ¿Qué lugares o sitios frecuentan? ¿Cuáles son sus hábitos durante los días laborales y cuáles durante los fines de semana?

Todas estas preguntas nos ayudan a hallar respuestas adecuadas para luego llevar nuestro esfuerzo comercial en la dirección correcta.

5 – ¿Qué tamaño tiene el mercado para mi producto o servicio? El tamaño del mercado definirá de algún modo la envergadura que podría tomar nuestro negocio a medio y largo plazo. ¿A qué porción de ese mercado apuntaremos? No pretendas llegar a todo el mercado desde tu arranque. Ir paso a paso y ampliarse en una segunda etapa te permite comenzar con menos recursos, disminuir tus riesgos, y por sobre todo conocer el mercado y readaptar tu servicio a sus exigencias (¡equivocarte menos!).

6 – ¿Cómo aceptará el mercado tu idea, producto o servicio? ¿Hasta qué punto necesita el mercado tu servicio o producto? ¿Por qué crees que lo necesita?

7 – ¿Cuál será, o es, la competencia que enfrentarás? ¿Hay productos similares o sustitutos? Productos similares son los productos ya existentes en el mercado, iguales al que intentas comercializar. Por ejemplo, la pizza de la esquina y la pizza de la otra esquina. Productos reemplazables son productos diferentes, pero que se usan para satisfacer la misma necesidad. Por ejemplo, cine o teatro, ante la misma necesitad: la diversión. O pizza o empanadas; no son el mismo producto pero son sustitutos ya que satisfacen la misma necesidad: el apetito y/o desgano para cocinar en la noche (delivery).

8 – ¿Qué ventaja tendrá mi producto o servicio por sobre la competencia? No necesitas ser el mejor de todos en el mercado, pero mientras más ventajas por sobre el resto poseas, más probabilidad de aceptación y de éxito tendrás. ¿Qué ventaja tienes por sobre los demás competidores? ¿Eres el más cercano, el más económico, el más rápido, el de mejor calidad?

9 – ¿Cómo comunicarás tu ventaja? De nada sirve tener una ventaja por sobre la competencia o los demás productos similares, si no sabemos cómo comunicar de manera CLARA este beneficio al cliente potencial. Si el cliente percibe o interpreta que mi idea o producto es idéntico al de otra empresa o marca, significa que mi ventaja no es tal, o que no la estamos comunicando de la manera correcta.

10 – ¿Cuál es el valor que está dispuesto a pagar el mercado objetivo (clientes potenciales) por tu producto o servicio? ¿Cuánto paga actualmente el mercado por productos similares o sustitutos? Si consideras que tu servicio o producto tiene un valor superior al de la competencia, ¿cómo lo justificarás? ¿Está dispuesto el cliente a pagar esa diferencia por ese supuesto valor adicional que ofreces?

11 – ¿Cuál será tu política de reembolso? ¿Existirá una? ¿Qué tipo de garantías ofrecerás al cliente sobre satisfacción del producto y/o servicio?

12 – ¿Cuánto tiempo requiere poner tu idea en funcionamiento? ¿Cómo te financiarás hasta que el proyecto empiece a generar sus propios fondos? ¿Qué sucederá si el proyecto requiere mayor tiempo para autofinanciarse? ¿De dónde provendrán esos fondos extras?

13 – ¿Cuánto dinero se requiere poner en marcha tu idea o proyecto? (equipamiento, tecnologías, etc.) Debes estar seguro de considerar cada uno de los recursos necesarios para poner en marcha tu proyecto, para así poder contar con una valuación certera sobre el nivel de inversión que el proyecto requiere. ¿Dispones de ese dinero? ¿O tendrás que salir a conseguirlo? ¿De qué manera? ¿Préstamo? ¿Venderás algún bien que posees? ¿Incorporarás socios al proyecto? ¿Cuáles cosas puedes evitar para bajar la inversión inicial? (equipamiento usado o alternativo, por ejemplo).

14 – ¿Requieres ayuda de otras personas? ¿Tienes acceso a esas personas? Debes definir claramente si necesitas ayuda o colaboración de otras personas, a qué nivel, de qué modo lo aportarán, y que sacrificarás o darás a cambio de ese aporte o ayuda.

15 – ¿Necesitarás colaboradores o empleados? ¿Puedes no disponer de ellos inicialmente hasta que tu idea esté en funcionamiento? Cargar de costos laborales tu idea desde inicio es una pésima idea.

Cuando inicié mi primera idea o negocio, contraté un ayudante o empleado nuevo por cada 5.000 usd. de servicios prestados o vendidos. Cada nuevo empleado debía incrementar la facturación en 5.000 usd. extras.

Define un parámetro similar para tu idea o proyecto. ¿Cada cuánto dinero pondrías o necesitarías un ayudante, colaborador, asistente o vendedor adicional de tu servicio o producto?

16 – ¿Conoces la normativa o leyes vigentes sobre el rubro o actividad en el que vas a incursionar?

Y la lista, continúa...

He citado solo algunos de los detalles que debes considerar ANTES de poner en marcha tu idea o proyecto. Te sugiero ir a mi sitio web, **www.JoseMontoya.info**, a buscar todos los puntos que necesitas considerar ANTES de arrancar tu plan de acción e iniciar tu nuevo negocio o fuente de ingresos extras.

Una vez resueltos los puntos o aspectos anteriores, que hacen al lanzamiento de nuestra idea, la llevaremos a la realidad: forma legal, nombre del servicio o producto, logo, registro de marca, registro fiscal, organización interna (cómo se elabora y entrega el servicio al cliente), estrategia de difusión (cómo llegaremos al público objetivo, es decir, cómo sabrá el mercado que mi empresa, proyecto, o producto existen), estrategia comercial (cuál será el mensaje que captará la atención de mi público objetivo, cómo cerraremos ventas y qué garantías ofreceremos).

Todas estas son decisiones comerciales y/o empresariales que deben estar resueltas para poder dar inicio a nuestro propio negocio.

Quizás parezca abrumador leer la lista anterior o pensar en todo este rollo de tareas y trámites que tal vez nunca has hecho antes. No te dejes abatir por ello. Piensa en tus sueños y las cosas que quieres. Pide apoyo y consejo sobre todo aquello que NO sepas. Si es un tema contable, paga a un contador para que te dé ese asesoramiento. Si es un tema legal, paga la consulta a un letrado y despeja tus inquietudes. Y así, con cada área que requieras aprender, mejorar o resolver, acude a la asesoría del experto en el rubro que sea necesario.

Busca en la guía de teléfono o en Internet profesionales que estén dispuestos a darte una hora de su tiempo a un costo razonable por la entrevista. Prepara las preguntas de antemano, lleva una lista y graba la conversación. Siempre habrá cosas de las que no te percataste en la reunión y la grabación será de mucha ayuda. Además, estarás mejor preparado para una próxima reunión o entrevista similar.

Ve paso a paso, da un paso a la vez, y asegúrate de mostrar avances cada día.

RIESGOS

Si vas a iniciar una idea de negocios, como el caso de nuestra repostera, debes evaluar el riesgo de tu proyecto. Todos los proyectos o negocios tienen un NIVEL de riesgo. Debes conocer cuál es el tuyo, ya que el nivel de riesgo de un proyecto tiene relación directa con el grado de probabilidad de éxito o de fracaso de tu idea.

Decimos que el riesgo es alto cuando la probabilidad de perder el dinero es elevada.

O dicho de otra manera, la probabilidad de éxito del proyecto es BAJA o incierta.

El riesgo será bajo cuando la probabilidad de perder el dinero es baja. O dicho de otra manera, la probabilidad de éxito del proyecto es ALTA.

Algunas personas creen que el riesgo está asociado al nivel de inversión a realizar. Eso es totalmente falso. El riesgo está asociado a tu conocimiento sobre en qué estas colocando tu dinero, de qué manera lo harás, bajo qué condiciones y/o garantías. Si tú sabes exactamente el proceso que tu dinero debe seguir para ser recuperado y convertido en más dinero, el riesgo es totalmente manejable.

Por ejemplo, decides comprar y vender cierto producto. Cuando tú colocas el dinero en ese producto no estás corriendo ningún riesgo en la medida que ese producto sea de fácil colocación o venta. También influyen tus habilidades comerciales para colocar ese producto o servicio rápidamente en manos de un primer cliente. Este sería un modelo de negocio de riesgo bajo, porque tú conoces el producto, tú eres hábil para comercializarlo, no te has endeudado para comprarlo, y tienes un mercado deseoso de conseguir lo que ofreces.

Un ejemplo de riesgo alto sería colocar tu dinero en un sistema de compraventa de acciones, donde ganarás dinero solamente si aciertas la tendencia de las acciones durante el periodo de tiempo que hayas elegido para tu inversión. Puedes apostar a la baja o a la suba de tus acciones, pero la realidad es que independientemente de si tu inversión es baja o alta, el riesgo siempre es elevado, porque no tienes modo de saber con exactitud cómo actuará el mercado de las acciones que hayas escogido.

Mi receta es colocar mi dinero, todo el que pueda, en negocios, proyectos, inversiones, de riesgo bajo. Al ser el riesgo mínimo o nulo, estoy dispuesto a invertir la totalidad de mi dinero. Yo prefiero mucho dinero invertido, pero a riesgo controlado, que poco dinero a riesgo alto.

Es verdad que a mayor riesgo mayores ganancias, pero esa receta se la dejo a los amantes del azar, y jamás la recomendaría a alguien que pretende crear Libertad Financiera de forma sana, confiable, y segura.

Sin importar el tipo de negocio que elijas, existe otro riesgo, que está relacionado con la gestión del emprendedor. El riesgo es alto cuando se es demasiado optimista y no se cuenta con planes alternativos o de contingencia para resolver los posibles obstáculos inevitables que aparecerán en el camino. Recuerda que pocas veces las cosas salen según lo planeado.

Valorar con precisión los aspectos de la lista anterior nos permite tomar un riesgo aceptable.

Mientras más información y conocimientos adquieras sobre el mercado y su funcionamiento, menos riesgo tendrá el proyecto, ya que podrás evaluar y contrastar tus planes e ideas sobre esos conocimientos adquiridos.

Un RIESGO ALTO puede hacer que pierdas todo tu dinero, lo cual sería catastrófico para tu economía personal.

Es necesario evaluar qué sucederá si el plan se ejecuta adecuadamente. Es decir, si logramos cada uno de los subobjetivos y actividades del plan de acción. Como así también es importante saber qué sucederá y cómo actuaremos si el plan en su totalidad, o una parte del mismo llegara a fracasar o desplazarse en el plazo (tiempos) de ejecución.

Conozco personas que antes de lanzar su propio proyecto personal se emplearon y trabajaron un tiempo en un negocio similar (en relación de dependencia), en el que pudieron aprender y descubrir muchos pormenores que desde afuera y entusiasmados por la idea de éxito, no lograban visualizar. Descubrieron así un sinfín de cuestiones que hacen al proyecto, lo que les permitió desistir de algunas acciones e ideas que parecían brillantes desde afuera. Esta sería una de las pocas razones por las que quizás sería recomendable y totalmente aceptable acceder a un trabajo de ingresos bajos a cambio de experiencias y conocimientos que serán de mucha utilidad para usar en la toma de decisiones de tu propio negocio.

Invertir en IDEAS y/o PROYECTOS de OTROS

Si definitivamente la lista anterior te ha abrumado, ¡tengo una buena noticia para darte!

Existe un sinnúmero de propuestas y proyectos disponibles en el mercado que ya están funcionando y generando ingresos, y que tú podrías aprovechar hoy mismo.

Esta es una excelente opción para introducirte al mundo de los negocios e ir tomando experiencia y adquiriendo habilidades para quizás en un futuro lanzarte por cuenta propia. No creas que lanzarse por cuenta propia siempre es la mejor opción.

Oportunidades ya existentes

Si decides buscar un negocio en funcionamiento para sumarte o ser parte del mismo, ya sea que se trate de una franquicia digital, una franquicia tradicional, un negocio en sociedad, un negocio de venta directa o reventa de algún producto, marketing de afiliados, etc., estos son algunos consejos que puedo darte en base a mi experiencia personal, ya que he pasado por casi todos ellos:

1– Sé cauteloso. No caigas en la trampa de las oportunidades de dinero fácil o enriquecimiento de la noche a la mañana. Ese tipo de propuestas sobreabundan, dentro y fuera de Internet. Es verdad que se puede hacer una fortuna en muy poco tiempo, muchos lo han logrado pero no es lo habitual, y aquellos que lo han conseguido no alardean de ello en las redes sociales ni se disponen a compartirlo. Busca información sobre el negocio que ha captado tu interés, averigua sobre los productos, sobre la empresa, investiga el pasado y la experiencia del negocio o de la empresa a través de Internet y a través de referencias de personas que puedan haber utilizado los productos y/o servicios de esa empresa. Nunca te quedes con la primera opinión que encuentres, sea buena o mala, ya que no es indicador suficiente para tomar una decisión acertada. Recuerda que las opiniones son por lo general nada más que un punto de vista de quien las emite, y pocas veces tienen relación con la realidad misma. Elabora tus propias conclusiones sobre cada idea o negocio que examines. Ve a fondo, contacta directo a la empresa, no a intermediarios, y despeja todas las dudas que tengas. Si la empresa es capaz de recibirte y atiende tus inquietudes con cordialidad, ya eso es un buen indicio.

2– Aplica el mismo análisis de los 16 puntos antes mencionados, al negocio o propuesta que estés analizando. Te ayudará a comprender el potencial del mercado en que se desempeña la empresa o servicio con que intentas involucrarte.

Analiza el estado del mercado al cual la empresa direcciona sus productos y servicios, las herramientas con las que te ayudará a lograr tus objetivos, si la empresa te dará entrenamiento o algún otro tipo de herramientas, soporte, estructuras si fueran necesarias; cuáles serán los costos de cada una de estas acciones, tipos de contratos que manejarán, plazos, formas de pago, etc.

3– Averigua la rentabilidad sobre cada producto vendido y realiza estos cálculos: ¿Cuánto dinero ganarás por cada producto vendido? ¿Cuál será para ti el costo de llevar esos productos al mercado? ¿Cuánto necesitas vender y/o facturar para lograr un ingreso considerable? Lograr ese objetivo de venta, ¿cuánto tiempo te tomará? ¿Cuáles serán tus costos fijos cada mes?

4– ¿Qué tipo de soporte y entrenamiento recibirás de parte de la empresa? Esto es más que importante ya que eres novato en el tema y no podrás crecer sin un soporte y educación comercial y financiera idóneos.

5– ¿Cuál será la inversión que necesitas hacer para ingresar al negocio? ¿Requieres de empleados? ¿Estructuras? ¿Stock? ¿Costos fijos? ¿Gastos de publicidad para alcanzar el objetivo de ventas? ¿Existe objetivo de ventas obligatorio?

Elabora una estructura de gastos + costos fijos + inversión requerida inicial, y examina si cuentas con este dinero para comenzar. Muchas veces las franquicias suelen decirnos cuál es el importe de la inversión, pero nos ocultan todos los costos fijos que tendremos que enfrentar o los objetivos de venta que tendremos que cumplimentar, para aparentar más atractivo el negocio e inducirte a una decisión apresurada. ¿Habrá costos de gestión? ¿Costos de envíos de mercaderías? ¿Costos de logística y empaque? ¿Qué tiempo podrías tardar en llegar al punto de equilibro de tu negocio? Se conoce como punto de equilibro al nivel de ventas (facturación) requerido para no tener pérdidas ni ganancias. Punto cero. ¡A veces llegar al punto cero o punto de equilibrio nos toma varios meses! ¿Podrás soportar los costos de tu proyecto hasta que esto suceda? ¿Por cuánto tiempo?

Las empresas de venta directa, multinivel, negocios online, marketing de afiliados, etc., son una excelente opción para adquirir los primeros conocimientos y habilidades relacionados con el mundo comercial. Son la opción que yo mismo elegí para formarme como emprendedor.

Hay empresas de venta directa y empresas de marketing digital o programas de afiliados que ofrecen la posibilidad de iniciar con una muy baja inversión un negocio totalmente seguro, desde tu hogar y sin costos fijos. Esta es una buena manera de generar un ingreso adicional con un riesgo bajo o moderado, mientras haces experiencia en el mundo de las ventas, el marketing, el comercio y los negocios.

Instruirte sobre marketing de persuasión, ventas, negociación, finanzas, etc., no solo te dará los conocimientos nuevos que requieres para dirigir tu proyecto, sino que te pondrá en contacto con otras personas en idéntica dirección a la tuya, de donde saldrán siempre nuevas y buenas ideas para proyectos y oportunidades de inversión, e incluso socios y oportunidades de financiamiento.

Otro mercado en crecimiento a nivel mundial es el de las franquicias.

¿Qué es una franquicia? Es la posibilidad de adquirir el modelo de negocio de otro, que ya ha sido probado y está en funcionamiento. La ventaja radica en asociarte a una empresa con renombre (popular) donde las ventas y facturación son inducidas simplemente por contar con un nombre conocido en el mercado.

Por supuesto que no podemos dejar de mencionar la LOCALIZACIÓN de tu negocio (física o geográfica). Si tu negocio requiere venta de mostrador es inevitable analizar adicionalmente a los 16 aspectos del capítulo anterior, el lugar donde se localizará tu negocio, y cuál es el tráfico o tránsito de personas calificadas (posibles clientes que necesita tu producto o servicio) que circulan por ese lugar. ¿Estarán esas personas dispuestas a detenerse e ingresar a tu negocio?

Tanto las empresas de venta directa, multinivel, afiliados (negocios de baja inversión) como las franquicias tradicionales (inversión media) son una excelente manera de comenzar un proyecto de bajo riesgo, a cambio de adquirir habilidades nuevas y un poco de la práctica que requiere conducir un proyecto propio, sobre todo si nunca antes has incursionado en el mundo de los negocios.

Internet por su parte, ha abierto una puerta importante a la gran cantidad de negocios de baja inversión y bajo riesgo que ofrece, y que pueden darte experiencias importantes sobre tecnología y generación de tráfico web interesado en tu producto. Esto es necesario para expandir cualquier tipo de proyecto en que te embarques.

CINCO RECAUDOS antes de INVERTIR

1– No inviertas todos tus ahorros. Evalúa el nivel de riesgo en cada proyecto donde colocarás tu dinero. Si mantienes siempre tu nivel de inversión BAJO o MODERADO (no inviertes todos tus ahorros) nunca estarás en riesgos de perderlo todo.

2– No hagas una sola inversión. Diversifica las opciones en las que colocarás tu dinero, así la posibilidad de lograr y obtener ganancias será mayor.

3– Asegura contar con suficiente capital (dinero) para vivir y cubrir los costos de tu negocio al menos durante todo su primer año, suponiendo que no generará beneficios durante ese lapso.

4– No cometas el error de vivir de tu negocio. No puedes sacar dinero para gastos de vivienda, consumo personal, etc. Separa tu economía personal de la economía de tu negocio. El dinero de tu negocio es de tu negocio y debe ser utilizado solo para producir más dinero y hacerlo crecer.

5– Sea el negocio que sea que vayas a iniciar, enfoca el 80% de tu tiempo en aprender cómo hacer clientes y ventas. El 20% del tiempo dedícalo a la gestión del mismo. Conviértete en el vendedor y promotor número uno de tu proyecto, producto o negocio.

Ve ahora a mi web, **www.JoseMontoya.info**, a buscar algunas ideas y sugerencias de proyectos donde puedes invertir para comenzar tus primeras experiencias a bajo riesgo. Si te suscribes a mi boletín semanal desde la misma web, compartiré contigo la lista de proyectos e ideas en los que yo invertí para lograr un retorno inicial rápido y poder así financiar nuevos y cada vez más grandes proyectos e inversiones.

Por más meticulosa que haya sido tu planificación y/o proyección sobre tu nuevo negocio, siempre descubrirás que hay gran cantidad de cosas que NO SABES. ¡No te asustes! Solo sigue avanzando y aprendiendo todo cuanto no sepas.

En mi caso, como la mayoría de mis negocios funciona a través de Internet, me vi obligado a aprender sobre tecnología, computación, Internet, redes sociales, estrategias para generar tráfico web, m-comerce, e–comerce, etc.

Muchas veces, al terminar de aprender el uso e implementación de una herramienta nueva, aparece otra debido al dinamismo del mercado, lo que nos obliga a permanecer atentos y en continuo aprendizaje.

CAPÍTULO 17

EL USO QUE DAS A TU DINERO

Un pilar del éxito dice:
El dinero no se reproducirá por sí mismo, tú debes gestionarlo adecuadamente.

El dinero no se reproduce por sí mismo; al igual que en la parábola del sembrador de la Biblia, quien coloca sus semillas en tierra fértil debe luego protegerlas de la maleza y de los pájaros que intentan robar y comer la semilla continuamente. El dinero requiere determinado cuidado y proceso para dar los frutos y los resultados esperados.

Si vas a comenzar tu propio negocio, la gestión financiera es una habilidad que debes aprender. Incluso si no vas a iniciar un negocio por tu cuenta, de igual manera tendrás que manejar dinero para vivir tu vida y poder satisfacer tus necesidades básicas.

No importa a qué te dediques, no importa cuánto ganes, siempre pasará dinero por tus manos y siempre necesitarás dinero para poder continuar tu vida. Por lo cual desconocer los aspectos básicos del dinero hará que vivas en desventaja respecto a tus finanzas personales, y como consecuencia, el dinero siempre será escaso y tus opciones muy limitadas.

Clave: sin importar cuánto ganes, poco o mucho, asigna un porcentaje del dinero que ingresa cada mes a tu bolsillo, a 1) Ahorro 2) Educación 3) Inversión.

El dinero asignado a esas tres áreas es el ÚNICO dinero que estará trabajando por ti. Todo el dinero que caiga o termine fuera de esas tres áreas, es dinero perdido y no regresará jamás a tu vida.

Separa un porcentaje de tu dinero obtenido o ganado, y asígnalo a estas cuatro categorías o áreas siguientes:

1) Ahorro
2) Educación
3) Inversión
4) Gasto

¿Cómo son tus porcentajes actualmente en cada una de esas áreas?

— Ingresos actuales $ ....

— Asignado a Ahorro $ ....

— Asignado a Educación $ ....

— Asignado a Inversión $ ....

— Asignado a Gasto $ ....

AHORRO

¿Por cuánto tiempo podrías sustentarte (vivir) con tus ahorros actuales?

....

Nadie considera que ahorrar es malo, sin embargo, menos del 20% de las personas separa parte de sus ingresos para destinarlo al ahorro.

Ahorrar es separar dinero para alguna acción específica y/o contar con fondos suficientes para cubrir algún imprevisto extraordinario (una emergencia grave que debes atender de inmediato).

El ahorro es el que nos permitirá adquirir la casa de nuestros sueños, hacer un regalo a nuestros hijos, hacer algún viaje, ayudar a otras personas, etc.

Separar dinero simplemente, ¡NO es AHORRO!

El dinero que separamos para ahorro debe ser cuidadosamente depositado en una cuenta especial para ese fin, separado de todo lo demás y trabajado a riesgo muy bajo, para de ese modo no perder la capacidad productiva y adquisitiva de ese dinero. Ejemplo: compra de moneda extranjera, recibir algún interés bancario por ese dinero, plazos fijos, fondos comunes de inversión, etc. Puedes ver más opciones de inversión a bajo riesgo en mi sitio web **www.JoseMontoya.info**.

GASTO

La mayoría de las personas asigna más del 70% del dinero que obtiene cada mes a esta área. Gastar es sencillo, cualquiera sabe hacerlo, no se necesitan demasiadas instrucciones ni conocimientos para gastar el dinero que obtenemos. El problema con el gasto es que seguramente ese dinero ha sido obtenido con mucho esfuerzo, y NO es utilizado para producir progreso o conducirte a tus metas.

El gasto es todo el dinero destinado a cubrir tus necesidades básicas (educación escolar, salud, vivienda, alimentos, etc.).

Pero es importante diferenciar entre el gasto SÍ necesario y el gasto NO necesario.

El gasto SÍ necesario es el que está relacionado con aquellas necesidades básicas o fundamentales de todo ser humano, por ejemplo, el colegio de los niños, transporte, alimentos, alquiler o renta del hogar, etc. El gasto No necesario por otra parte, se relaciona con la satisfacción de necesidades NO básicas o esenciales. Por ejemplo, la compra de un electrodoméstico, aparatos celulares de última moda, salidas a restaurantes, compra de ropa de marcas costosas, etc. Son todos ejemplos de Gastos NO necesarios. Incluso el costo escolar, el costo de transporte, la renta o alquiler del hogar que pusimos como ejemplos de Gastos SÍ necesarios, pueden engañosamente convertirse en gastos NO necesarios cuando pagas o gastas un importe excesivo por esos servicios habiendo en el mercado otros proveedores del mismo producto o servicio a valores más económicos que pudieras contratar para recibir la satisfacción completa de la misma necesidad. Estás asignando erradamente tu dinero cuando adquieres coches lujosos o de alta gama, mantienes el vehículo de alta gama o dos vehículos en vez de uno, cuando pagas alquileres costosos, colegios privados costosos, o haces compras excesivas de alimentos en el supermercado o que no son de canasta básica, etcétera.

No estamos diciendo que gastar, o comprar cosas de lujo o darte algún gusto de vez en cuando sea algo malo, solo que si estás desviando el dinero que debería ser utilizado para consolidar tus finanzas, y además no estás asignando proporcionalmente a las cuatro áreas que definimos más arriba, estás malgastando tu dinero en un estilo de vida que aún no has construido sólidamente. Tarde o temprano los problemas aparecerán.

El dinero utilizado para gasto es dinero que no se recuperará jamás.

Un pilar del éxito nos dice:

El mercado estimula el gasto, nunca el ahorro, no caigas en su trampa.

EDUCACIÓN

Tu formación constante es primordial si vas a encaminar tus acciones y tu vida al logro de metas importantes o más grandes. Debes asignar una parte de tu presupuesto a tu formación y desarrollo personal, empresarial y profesional. Por ejemplo, para la realización de cursos, seminarios, masters, la compra de libros, etc. El porcentaje asignado a esta área es siempre menor al asignado a Gasto, Ahorro e Inversión. No por esto es menos importante.

INVERSIÓN

Esta es la parte de tu presupuesto que asignarás a tus proyectos de forma directa y constante. Inicialmente puede ser un porcentaje pequeño si recién estás comenzando y tu flujo de ingresos actuales no es suficiente o elevado. No te preocupes, lo importante es que lo hagas inmediatamente y utilices este dinero para generar más dinero.

A medida que tus ingresos crezcan, esta es el área, junto con la de ahorro, que más deberán crecer mientras mantienes la de GASTO a raya y sin cambios. NO cometas el error de creer que porque ganas más dinero puedes elevar el porcentual asignado a GASTOS, ¡eso no es correcto! Hasta que tus finanzas estén totalmente consolidadas y puedas asignar el 50% de lo que ganas a inversión permanente, tus gastos deben estar controlados y muy limitados.

El mal uso del dinero viene dado por la adquisición y/o gasto desmedido en bienes e insumos que no son de primera necesidad o gasto necesario. Ejemplo: te compras un reloj porque consideras que es necesario tener la hora en tu muñeca. Te compras un segundo par de zapatos porque con uno solo no alcanza. Quieres una casa y cuando la tienes, ya estás pensando en remodelar o ampliar el jardín. Quieres un teléfono o iPod último modelo porque el que ya tienes no permite la última actualización; y así, la lista de razones por las cuales gastar es interminable. Cada una de estas compras amplió nuestro gasto no necesario, incrementando también en algunos casos, nuestro costo fijo de mantenimiento mensual (cantidad de dinero que requerimos cada mes para sostener nuestro estilo de vida actual), haciendo que cada vez necesites más dinero fijo para mantenerte.

Quien así vive está aparentando ser y tener algo que aún no ha logrado.

En mi caso, el dinero obtenido a través del sueldo del empleo fue mi primer ingreso. Por muchos años utilicé el dinero que producía con mi empleo para cubrir mis gastos personales y comprar bienes NO necesarios (ropa y electrodomésticos por ejemplo). Ese mal uso del dinero que provenía de mi única fuente de ingreso en ese momento (mi empleo), fue el causante de que permaneciera como empleado (de planta) por casi 10 años de mi vida, trabajando solamente para pagar deudas (tarjetas de crédito) de aquellos bienes inútiles que compraba, con la excusa de *"me lo merezco"*, *"para eso trabajo"*, *"total, es cero interés con tarjeta de crédito o débito"*, etc. y etc.

El ser humano es muy bueno justificando sus gastos y vendiéndose cosas inútiles a sí mismo.

El dinero del empleo es el dinero más caro que existe, ya que es el que ocupa todo tu tiempo para ser obtenido. Ese dinero, por sobre todo, debe usarse de forma inteligente para avanzar a tu siguiente nivel económico. Por el contrario, si usas ese dinero solamente para gasto y compra de bienes no necesarios, vas a quedarte indefinidamente en el mundo del empleo, trabajando solo para pagar cuentas y costos fijos altos.

El uso de una TARJETA de crédito significa una sola cosa: NO PUEDO PAGARLO. Entonces, NO debería hacer esa compra.

Para poder distribuir el dinero en los cuatro grupos o áreas antes mencionados, tendrás que hacer un esfuerzo consciente. Esa distribución o asignación del dinero debe iniciarse ahora mismo, sin excusas ni dilaciones. Esperar salir de las deudas para comenzar a gestionar tu dinero de manera correcta es una excusa poco inteligente.

Haz el esfuerzo desde hoy mismo y empieza a vivir con menos dinero del que vives.

Vivir con menos dinero del que ganas actualmente es imprescindible para alcanzar un nivel de éxito mayor.

Quizás ganes poco y digas: *"Apenas puedo comer y pagar la renta con lo que gano", "el dinero no es suficiente y vivo de prestado"*... Pues si pretendes salir de donde estás y alcanzar tus sueños, tendrás que reorganizar tus gastos y cambiar esos pensamientos engañosos que hoy te están esclavizando al trabajo mal pagado y a una vida limitada.

Un pilar del éxito nos dice:

Si quieres más, primero aprende a vivir con menos.

Reorganiza tu presupuesto, tus gastos, tus compras, y haz un esfuerzo para vivir con menos. Siempre hay cosas que se pueden recortar. Si no puedes ahorrar significa que estás viviendo un nivel de vida que todavía no mereces y eres incapaz de sostener.

Significa que has incrementado tus gastos en la medida que incrementaron tus ingresos, lo cual es fatal para tu vida, tu desarrollo y tu economía actual y futura. Conozco mucha gente que cuenta con ingresos altos y que ha sido incapaz de mantener e incrementar su fortuna simplemente por no saber acomodar sus gastos y asignar adecuadamente el dinero a las áreas correspondientes.

Pensamientos de fracaso

"Voy a ahorrar desde tal fecha".

"Voy a ahorrar cuando termine de pagar tal cosa".

"Voy a ahorrar después de casarme".

"Voy a ahorrar después del aniversario".

"Voy a ahorrar después de iniciar mi negocio nuevo".

"Voy a ahorrar después de cambiar el coche o mudarnos de vivienda".

"Voy a ahorrar después de tal cosa...".

"Comenzaré a ahorrar la semana que viene, el mes que viene, el año que viene... o después de que suceda algo".

Estos son pensamientos de personas que siempre tienen la excusa adecuada para posponer el inicio de su plan de acción y financiero. ¡Hay una frase que dice: *"El ahorro es la base de toda fortuna"*!

Aprender a ahorrar significa que tú estás en control de tus gastos y de tu dinero ¡y no al revés! Significa colocar el dinero como SERVIDOR y no como AMO de tu vida. El ahorro es el primer paso. Es la PRUEBA de que ya estás haciendo algo en sentido correcto.

Elimina la tarjeta de crédito de tu vida. **Que puedas permitirte comprar algo, no significa que debas hacerlo.** La tarjeta de crédito es la principal arma del sistema financiero, diseñada para que pases toda tu vida trabajando. Se lleva la mayor parte de tus ahorros y es la principal fuente de ingresos de los bancos. El mal uso de las tarjetas de crédito IMPIDE que logres tus metas. El estar pagando cosas todo el tiempo demuestra un muy mal hábito respecto a la manera en que gestionas tu dinero.

La deuda mala (en bienes que no producen dinero) muestra total falta de capacidad para vivir con lo que ganas. Si lo que ganas no es suficiente para enfrentar tus gastos actuales, tendrás que trabajar más, buscar otra alternativa de ingresos, pero jamás cubras con deuda parte de tus gastos. La deuda bloquea y arruina tu futuro completamente.

"El que toma prestado se convierte en esclavo del que presta".
Proverbios 22:7 - La Biblia

¿Adónde va tu dinero hoy?

Mientras más cosas compres menos dinero invertido trabajando para ti tendrás. Debes llevar una lista "diaria" de cuáles han sido tus erogaciones (salidas de dinero) del día (pagos y/ gastos). Una lista muy detallada y precisa en la que coloques cada cosa que has pagado ese día. Solo así podrás saber adónde se está yendo cada centavo de tu dinero.

Cuando suelo preguntar en mis entrenamientos a los asistentes cuánto dinero han gastado este año, es increíble, pero jamás nadie ha podido responder con precisión. Esto demuestra falta de capacidad en las personas para manejar el dinero y los gastos.

Debes saber exactamente dónde pones cada centavo de tu dinero. Solo así podrás ajustar y saber en cuáles cosas recortar, achicar, acomodar, etc.

Actualmente existen muchas aplicaciones que puedes descargar en tu teléfono celular para llevar un listado prolijo de cada centavo gastado durante el día a día. En mi página web te doy algunas sugerencias de esas Apps (**www.JoseMontoya.info**).

El siguiente es un listado (ayudamemoria) para armar tu propia lista. ¡Hazlo ahora mismo!

¿Para qué estoy usando mi dinero?

Renta, alquileres, compras de alimentos, obra social, transporte, nafta o gasolina, taxis, delivery, golosinas, cigarrillos, gaseosas, cuota alimentaria, peluquería, teléfono celular, teléfono fijo, Internet, reparaciones del vehículo, reparaciones del hogar, regalos de cumpleaños, juguetes de niños, salida de fin de semana, el café de todos los días, impuestos del vehículo, servicios del hogar, ropa o vestido, playa de estacionamiento, la merienda de la escuela, jardinería, mascotas, artículos escolares, cuota escolar, el club, golosinas, etc...

¿Has hecho tu propia lista? ¿Algo de lo que has colocado en tu lista produce dinero?

Si la respuesta es NO, ¡significa que todo tu dinero está siendo utilizado solo para GASTO! En esas condiciones, tienes CERO posibilidad de progresar. Debes readaptar tu presupuesto según aprendimos más arriba, de manera urgente.

Cuándo pedir dinero prestado

Hay una historia que relata la Biblia, sobre dos hombres a quienes se les prestó dinero. Uno de ellos lo guardó con mucho celo y cuidado, mientras que el otro lo trabajó y produjo ganancias. Cuando el patrón (acreedor y dueño del dinero) regresó, reclamó su dinero a cada uno de estos dos hombres. El que lo había reproducido lo entregó completo, más una importante suma extra en concepto de intereses ganados. Su patrón inmediatamente lo felicito, le llamó "siervo bueno y fiel" y le permitió seguir haciendo negocios con él.

De manera contraria el otro hombre, por temor a perderlo, se limitó a cuidar y conservar el dinero. Al momento de devolverlo a su patrón, al no haber ganado ningún interés, el patrón ordenó quitarle todo el dinero de inmediato, y le llamó "siervo inútil".

¿Cuál es la enseñanza?

Pedir dinero prestado se justifica siempre que sepas trabajar ese dinero para producir dinero suficiente que cubra el costo de haber adquirido ese dinero. ¿Cuál es el costo del dinero? La tasa de interés que cobrará el prestamista o acreedor por poner ese dinero a tu disposición un tiempo determinado.

Si vas a iniciar un negocio cuya rentabilidad esperada es del 40%, no puedes tomar dinero prestado a una tasa superior a ese valor. Si no, estarás en problemas financieros rápidamente.

La disciplina en el manejo del dinero viene de saber cuándo pedir, cuánto pedir, a qué tasa pedir el dinero prestado, y cuándo y cómo regresarlo.

Por otro lado, la capacidad de obtener ese dinero a una tasa baja, saber trabajarlo adecuada y rápidamente para lograr una renta superior al interés del préstamo, y finalmente devolver el dinero según los tiempos y términos acordados, hacen a una gestión financiera exitosa que puede definir si tu proyecto triunfa o pone en aprietos tus finanzas.

Antes de tomar dinero prestado, asegúrate de que sea realmente necesario. Realiza una correcta planeación de flujos de fondos futuros de tu negocio (¿cuánto dinero ingresará a tu negocio y en qué momento?), más la estimación de la tasa de rentabilidad de tu proyecto (¿cuáles serán tus costos operativos de mantener tu negocio funcionando?). Si quieres profundizar en el tema, te recomiendo ir a mi página web, **www.JoseMontoya.info**, y descargar material al respecto. En el único caso en que podemos justificar el pedir dinero prestado es cuando la tasa a la que se pide ese dinero es inferior a la tasa de retorno que se generará por trabajar (invertir) ese dinero.

Cuatro recomendaciones que deben acompañarte toda la vida

1. No prestes tu dinero. No prestes al que no sabe administrarlo ¡porque no te lo devolverá y perderás tu dinero! No prestes a tus amigos porque no te lo devolverán y perderás el dinero y al amigo.

2. Arma y controla tu presupuesto a diario: la gente de fracaso no tiene un presupuesto y mucho menos el control diario respecto a dónde va cada centavo de su dinero.

3. Coloca tus ahorros en inversiones de bajo riesgo (son ahorros, no inversiones). NO arriesgues tus ahorros, no te confundas. Colócalos en monedas fuertes, que con el paso del tiempo no pierdan su valor adquisitivo, y en inversiones de renta asegurada a riesgo nulo.

4. Mantén bajo control estricto los costos fijos (costos de mantenimiento de tu vida personal, y costos de mantenimiento mensual de tu proyecto o negocio). ¡No negocies con ellos jamás! Cuando tengas dudas sobre contratar un servicio o comprar algo, evalúa cuánto beneficio (ganancia) reportará, y cuánto incrementará tus costos fijos. Los costos fijos son los que llevan a la quiebra a las empresas pequeñas y grandes, son los que condenan a millones de familias a vivir una vida

limitada y sin posibilidades de crecimiento. Los costos fijos altos impiden la reinversión, el crecimiento y el progreso.

Un pilar del éxito nos dice:

Mantén tus ingresos en crecimiento y tus costos fijos cada vez más bajos.

CAPÍTULO 18

CUÁNDO, QUÉ, Y CÓMO CONSEGUIR LO QUE DESEAS

Una habilidad que me ayudó a salir de los escombros económicos fue saber pedir (aprendí cómo pedir aquello que necesito). La mayoría de las personas tiene problemas con este concepto, ya que temen mostrarse en una situación de desventaja o de necesidad frente a la otra persona a quien hacen el pedido.

La creencia que la mayoría tiene respecto a PEDIR está equivocada. Muchas veces asociamos el hecho de PEDIR con la debilidad, cuando en verdad esto no es así. Pensar de ese modo es una limitación.

La mayoría de las personas ya viene programada para NO PEDIR. Porque se le teme a muchas cosas: parecer desesperado, necesitado, revelar la necesidad ante otros, y por sobre todo, la posibilidad latente de ser RECHAZADO (recibir un NO ante nuestra petición o pedido).

Escuchar la palabra NO es muy trágico para la mayoría de las personas. Hay quienes no logran sobreponerse a un NO como respuesta a su solicitud, y por esa razón prefieren NO PEDIR.

Un pilar del éxito nos dice:

No saber pedir cierra muchas puertas.

Si no pides correctamente, tú mismo te estás diciendo NO antes de que otros lo hagan.

Por no pedir o no saber pedir:

- Le dices que NO a la búsqueda de un nuevo socio.
- Le dices que NO a una nueva idea o solución.
- Le dices que NO a una nueva relación o a una persona increíble que ibas a conocer.
- Le dices que NO a un consejo o a un recurso nuevo.
- Le dices que NO a un nuevo cliente o a una venta adicional.
- Le dices que NO a un socio nuevo para tu proyecto o a tu futuro inversor.

De ese modo limitas tu crecimiento, tus metas, tu éxito, tu felicidad y tus posibilidades, ya que las personas deseosas de ayudarte, acercarse a ti y/o comprar tus ideas existen, y solo debes saber cómo llegar a ellos y cómo hacer tu pedido de manera correcta.

Walt Disney, uno de los hombres que cambió el concepto de la diversión en todo el mundo, a la hora de buscar sus socios e inversores para algunos de sus proyectos, recorrió más de 200 entidades financieras para pedir ayuda y financiamiento para su proyecto, recibiendo como respuesta a su pedido, un agrio y rotundo NO. La mayoría de nosotros seguramente no habría soportado tantos NO.

Joanne K. Rowling, recibió más de una docena de NO cuando presentó su obra ante las diferentes editoriales intentando que alguna de ellas le aceptara y difundiera su libro. Todas las editoriales dijeron que la obra era basura y no tenía sentido su producción. Cuando Rowling encontró finalmente aquella editorial que le dijo SÍ, logró poner su obra (Harry Potter) en el top de ventas mundial durante muchos años, convirtiéndose en una de las escritoras más famosas y mejor pagas de la historia.

¡Prepárate para recibir un NO como respuesta!

No te angusties, por el contrario, aprende de esa situación que la vida te presenta, extrae la lección y reflexiona: ¿habré pedido mal? ¿Será que debo cambiar mi manera de acercarme a las personas? ¿Será que no era la persona correcta a la cual formular mi solicitud o pedido?

Antes de realizar tu pedido, ya tienes un NO como respuesta. Entonces, si pides algo a alguien y te da un NO como respuesta, no estás peor que antes. Pero si la respuesta a tu pedido es un SÍ, ¡ya estás MEJOR que antes!

Solo por estar dispuesto a pedir aquella cita, tengo una pareja extraordinaria. Solo por estar dispuesto a pedir aquellas donaciones he logrado ayudar a más personas que si lo hubiese hecho solo.

Solo por PEDIR a las personas que hagan negocio conmigo, que usen mis productos, que sigan mis notas, he podido ayudar a miles de personas a ganar dinero, recuperar sus vidas y vivir más plenamente. Esto no significa que todos me hayan dicho siempre que SÍ. De hecho, NO existe el negocio, la propuesta, ni el pedido, a quien TODO MUNDO responda con un SÍ.

Un pilar del éxito nos dice:
El SÍ está siempre oculto detrás de varios NO.

¿Estarás dispuesto a atravesar la montaña de NO que anteceden a los SÍ que necesitas? A medida que ejercites tu manera de PEDIR, la tasa de conversión irá mejorando y cada vez lograrás mejores pedidos y mejores respuestas con la práctica (una mayor cantidad de SÍ).

Si vas a iniciar tu propio negocio y hacer realidad tus sueños, lo que más necesitas es SABER PEDIR.

A la hora de buscar tus socios vas a pedir (indirectamente quizás) que hagan negocios contigo. A la hora de buscar el financiamiento para tu proyecto (estás pidiendo dinero) y a la hora de llegar a tus clientes (a través de tu estrategia promocional o de marketing) vas a pedir que confíen en tu servicio o producto y que hagan negocios contigo convirtiéndose en clientes.

Si no aprendes a solicitar tus pedidos del modo correcto, tienes cero posibilidades de formarte como empresario y tener éxito en cualquier cosa que emprendas.

Tendrás un NO como respuesta cada vez que pidas mal. Por eso, debes saber QUÉ PEDIR, en qué MOMENTO pedir, a QUIÉN pedir, y de qué FORMA hacer tu pedido.

Cualquiera puede PEDIR, ¡pero no cualquiera sabe hacerlo del modo correcto!

La Biblia dice: *"Pide y se te dará"* y *"El que pide, recibe"*.

Pero no termina ahí, en otra parte nos dice: *"No tienen, porque piden mal"*.

- Pedir un ascenso a la persona que no tiene autoridad para dártelo o que no toma ninguna decisión al respecto, será una pérdida de tiempo.

- Si muestro mi producto a las personas equivocadas, que no tienen la necesidad de usar o consumir mi producto ni el problema que mi servicio resuelve, tengo muy pocas posibilidades de que ellos compren o se asocien conmigo.

- Si mi servicio o producto, por más que esté correctamente dirigido al público objetivo, hace el pedido de forma incorrecta, es decir, si el mensaje es poco claro, extenso o demasiado escaso, hará que todo mi esfuerzo de ventas sea arrojado a la basura.

- Si tienes empleados o colaboradores y pretendes que ellos ejecuten una acción solo porque se lo ordenas, sin darles participación en la toma de decisiones y el armado del plan de acción, es muy probable que tu pedido genere rechazo; por más que no lo expresen abiertamente, no estarán comprometidos al 100% con el plan, las tareas y las metas.

- Si estoy pidiendo un préstamo de dinero presentándome y diciendo "présteme dinero", sin entregar una adecuada carpeta con una propuesta de solicitud de fondos y las garantías con las que soy capaz de responder, seguramente recibiré un NO como respuesta.

- Si estoy buscando aliados o socios para mi proyecto no puedo simplemente colocar un anuncio en el periódico y pretender que me llamen o hagan filas para ingresar a mi negocio, eso nunca sucederá. Debo saber generar credibilidad en torno a mi persona, crear cierto prestigio, y saber dirigir mi propuesta a las personas correctas.

En todos los casos, debo tener bien claro cuál es el mejor canal para realizar mi pedido, la forma de hacerlo, el momento de hacerlo, y contar con una propuesta IRRESISTIBLE (algo que entregaré a cambio). **Si cuando pides una cosa a alguien ofreces a cambio algo que esa persona valora realmente, las probabilidades de un SÍ son más elevadas.**

A la hora de pedir necesitas saber de antemano qué es lo que la otra persona necesita, valora o quiere, para armar tu propuesta en base a ello. No todos tienen la misma necesidad, ni la misma percepción sobre su necesidad, por ende tu propuesta debe encajar perfectamente con la persona a quien estará dirigida (no cometas el error de meter a todo mundo dentro de la misma bolsa).

Empieza a aplicar estos consejos, y comparte conmigo y los emprendedores de mi sitio web: **www.JoseMontoya.info**. Así nos enriquecemos todos de las experiencias de todos. Te espero en mi web.

CAPÍTULO 19

CONTROLADORES DE TU PROGRESO

Un plan de acción requiere actividades de CONTROL en diferentes tramos del camino.

El plan de acción no se concretará por sí solo; hay que accionar y supervisar cada día ajustando aquello que pueda salirse de lo esperado.

El plan de acción adecuado jamás permanece estático. Mediante auditoria y revisión del mismo, para asegurarnos que las cosas se están logrando según lo planeado, recibirá ajustes y mejoras que permitan alcanzar los objetivos en tiempo y forma.

Los controles y revisiones del plan de acción son una tarea que debe ser incluida y programada dentro del mismo plan. Estas tareas de control y supervisión, deben ejecutarse con suficiente frecuencia. **No puedes esperar a que los objetivos no se cumplan o el plan fracase para recién allí introducir cambios y mejoras.**

De Point era un sitio web que vendía cupones de descuentos. Andrew Mason, su fundador, interpretó que los usuarios respondían mejor a las ofertas cuando se agrupaban para conseguir mejores precios. Fue así que readaptó su plan de acción, al punto que el proyecto inicial cambió casi de raíz y en su totalidad, modificando el modelo del negocio y hasta el nombre del mismo. Lo llamó Groupon, y a partir de allí cambió y se expandió rápidamente a varios países del mundo.

Preguntas para hallar MEJORAS e introducirlas a tu PLAN

1. ¿Cuál es la actividad principal o la más importante dentro del proyecto o plan de negocio?

   ....

2. ¿Cuáles de las actividades que deben ser ejecutadas cada día pueden obviarse (dejar de hacerse) y no afectar el resultado del plan?

   ....

3. ¿Existe alguna otra actividad que pueda mejorar los resultados o acortar el tiempo de ejecución del plan de acción?

   ....

4. ¿Cómo se investigarán y buscarán nuevos métodos, ideas, mejoras, herramientas, para contrastar con las que actualmente usamos?

   ....

No avances sin antes tener en claro en tu carpeta de trabajo las respuestas a cada una de estas preguntas fundamentales para tu plan de acción.

El objetivo de las preguntas 1 y 2 es eliminar aquello que estamos haciendo y que no produce grandes o importantes avances y/o resultados. Por otro lado, las preguntas 3 y 4, nos conducen a buscar y potenciar tareas y/o actividades que producen mayores avances y mejores resultados. **Eliminar a tiempo aquello que no funciona y potenciar lo que sí funciona marcará la diferencia entre un proyecto exitoso y uno mediocre.** El éxito viene dado por corregir a tiempo aquellas tareas que están usando energía, dinero, o cualquier otro tipo de recurso, y que no están moviendo el proyecto hacia la meta final de la manera y ritmo esperado.

Te sugiero ir a mi web, **www.joseMontoya.info**, para descargar los reportes gratuitos sobre controladores para tu negocio. A estos reportes, como todos los reportes de nuestra web, se le aplican actualizaciones cada MES con información NUEVA y VIGENTE que vamos testeando en nuestros proyectos. Asegúrate de contar con la más reciente versión de nuestras actualizaciones y técnicas de trabajo.

LOS CONTROLADORES DE LOS RICOS

La gente de ÉXITO lleva dos inventarios cada 90 días.

1 - Inventario de BIENES

Los bienes son aquellas cosas que poseemos materialmente. Incluye el dinero ahorrado o invertido en determinados artículos o bienes, que rápida y fácilmente podrían transformarse a dinero si quisiéramos. En este inventario se deben incluir además todas las deudas que poseemos al momento de elaborar el mismo.

Ejemplo: auto, casa, terrenos o lotes, oro o piedras preciosas, deudas a pagar, deudas de tarjetas de crédito, cuotas pendientes de pago de la hipoteca o vivienda, cuotas pendientes de pago del auto, dinero en efectivo, ahorro en moneda extranjera, etc.

Una vez realizada la lista con todos nuestros bienes podemos estimar en rasgos generales, nuestro Patrimonio Neto.

¿Qué es el Patrimonio Neto?

Es el indicador real de tu situación actual. Es decir, demuestra aquello que has logrado hasta hoy.

¿Cómo se calcula el Patrimonio Neto?

Es la suma de todas mis posesiones actuales, menos el valor total de todas mis deudas contraídas pendientes de pagar. Ejemplo: valor del coche que manejo + el valor de la casa si soy propietario + el valor de los ahorros en moneda extranjera + el valor de los ahorros en moneda local - las deudas en todas sus formas (las tarjetas de crédito, las cuotas que debo de pagar aún del auto, de la vivienda, créditos, etc.) = P.N. (Patrimonio Neto) a grandes rasgos.

El valor de cada bien debe ser el valor de mercado de ese bien al día de hoy. No es el valor que tú crees que vale, no es el valor que tú quisieras que te paguen por ese bien a la hora de venderlo, ni tampoco es el valor que pueda figurar en la póliza de tu seguro. El valor de cada bien lo determinará siempre el mercado. Es decir, ¿cuánto dinero percibirías hoy mismo si salieras a vender ese bien?

Si estamos valuando nuestro coche, que compramos hace dos años atrás, seguramente hemos pagado un precio mayor al valor que ese coche tiene hoy en el mercado, ya que es dos años más viejo hoy. ¿A qué valor podemos desprendernos de ese coche hoy? Este último importe será entonces, el valor de tu coche a fecha vigente. Este es el valor que debemos tomar para calcular el P.N.

De igual manera valorizarás cada uno de los bienes de tu lista para poder calcular tu P.N.

Este cálculo es importante, ya que tal vez agregamos a nuestro patrimonio una propiedad o vivienda que quizás no es

100% de nuestro dominio (si bien la habitamos y hacemos uso de ella, aún la estamos pagando). En ese caso colocaremos el valor de la propiedad al precio actual de mercado, y descontaremos la suma de todas las cuotas faltantes de abonar (deuda) de esa propiedad.

¿Por qué medir el Patrimonio Neto?

Si no se lo mide no podemos saber si estamos avanzando o no a nuestras metas económicas. Es otra manera de medir y controlar el resultado de las acciones que hemos emprendido para mejorar nuestras finanzas.

El P.N. es la foto real del estado de tu economía. Muestra claramente si estás avanzando a tus metas económicas, y si estás construyendo el nivel de ingresos que quieres o el nivel de vida que anhelas.

El P.N. necesita ser medido frecuentemente. Algunas personas lo hacen cada año, otras semestralmente, otros lo hacen trimestralmente. Es una manera inteligente para alertar y tomar a tiempo las acciones correctivas en tu plan de acción, buscando mantener siempre el P.N. anual en constante crecimiento, independientemente de que lo hagas con frecuencia anual, semestral o por trimestre.

2 - Inventario de CONOCIMIENTOS

Nuestro mayor obstáculo se llama TODO LO QUE ACTUALMENTE SÉ. Si aún no has alcanzado el estilo de vida soñado o el nivel de éxito anhelado, todo lo que hoy sabes y todas las habilidades que hoy posees, demuestran una sola cosa: NO SON SUFICIENTES para construir la clase de vida que anhelas.

¿Cuál es la principal habilidad de Bill Gates?

¡Cerrar tratos! Es experto en hallar la gente correcta y cerrar acuerdos que permitan a sus negocios crecer y alcanzar niveles extraordinarios. De hecho, Bill Gates hizo su primer paso en el mundo de los negocios y su primera fortuna, con aquel famoso contrato que logró acordar con una empresa a la que le proveería un software que aún no sabía cómo iba a desarrollar. ¡Increíble! Vendió algo que aún ni siquiera tenía en su poder.

¿Cuál era la principal habilidad de Steve Jobs?

¡Promocionar y vender! Era todo un experto en mostrar y promocionar sus ideas, al punto de conseguir que la gente hiciera largas filas para comprar sus productos antes de salir a la venta. La mayoría de los productos que vendió a sus clientes no eran perfectos, por el contrario, tenían docenas de imperfecciones y defectos de fábrica que después reemplazaría con nuevos productos que desarrollaría, y que nuevamente promocionaría.

¿Cuál es la principal habilidad de Donald Trump?

¡Crear negocios nuevos! No hay dudas de su habilidad para cerrar acuerdos y crear empresas desde cero con su marca (su nombre), elevando su valor de mercado rápidamente. Pésimo en gestión financiera, ya que llevó sus negocios a la ruina total, pero con gran talento y capacidad para negociar y reinventarse una y otra vez ante sus acreedores y clientes. Por muchos es considerado uno de los mejores negociadores de los Estados Unidos.

¿Cuál es la principal habilidad de Warren Bufett?

Usar su dinero para hacer más dinero. Su especialidad es invertir en negocios de baja rentabilidad y convertirlos en negocios de alta rentabilidad. Experto para hallar empresas con potencial de crecimiento, tomarlas y desarrollarlas hasta un valor de mercado bien elevado.

Sin dudas, el inventario de conocimientos de estos magnates es extremadamente elevado. Aun así, ellos no dejan de aprender e incorporar habilidades nuevas continuamente.

- ¿Cuáles conocimientos y/o habilidades nuevas has aprendido en los últimos 90 días?

....

- ¿Qué utilidad le estás dando a esas habilidades y conocimientos nuevos?

....

- ¿Qué habilidad nueva has desarrollado en los últimos 90 días y que hoy estás aplicando a tu trabajo y plan de acción, para llegar más rápido al logro de tus metas?

....

Estas preguntas definen y demuestran si realmente te preparas al NIVEL de las metas y ambiciones que tienes, o si eres simplemente un soñador (charlatán) con muchas intenciones y deseos, pero cero iniciativa y posibilidad de concretar la vida que anhela.

Un pilar del éxito nos dice:

Los conocimientos que necesitamos aprender son los que nos abren la puerta a una vida mejor.

Podríamos decir entonces que la clave del éxito se oculta NO en lo que sabemos, sino en aquello que aún NO sabemos y necesitamos imperiosamente aprender.

- ¿Cuáles son los conocimientos que necesito adquirir en los próximos 90 días para mejorar mi habilidad con el dinero?

....

....

....

- ¿Cuáles son los conocimientos que necesito adquirir en los próximos 90 días para llevar la implementación adecuada del plan de acción?

....

....

....

- ¿Cuáles son las destrezas y/o habilidades nuevas que necesito adquirir en los próximos 90 días para lograr mis metas?

....

....

....

Cuando inicié mis primeros negocios en Argentina, empecé rápidamente a estudiar un poco sobre leyes locales, sobre contabilidad, ventas, marketing, y a darme cuenta de lo poco que sabía de cada una de estas áreas, tan cruciales e importantes para llevar un proyecto adelante.

Una vez que mis proyectos comenzaron a crecer necesité aprender y desarrollar habilidades y conocimientos nuevos para sostener ese nuevo nivel de crecimiento, y poder así guiar el plan de acción y los recursos a un nivel aún mayor de crecimiento.

Obligadamente debí estudiar sobre marketing digital, técnicas de ventas, negociaciones avanzadas, inversión, impuestos, leyes internacionales, necesité aprender algo de inglés, viajar a seminarios y cursos donde conocí otras personas con experiencias de las cuales me enriquecí muchísimo (a veces no se trata de lo que sabes, sino de quién conoces), y de esa manera, poco a poco (pero a buen ritmo) mejorar las habilidades ya adquiridas e incorporar otras nuevas, para poder sostener un nuevo nivel de éxito, y alcanzar mayores logros.

Un error típico de muchos empresarios es creer que el éxito es permanente. Esto no es así. El éxito a veces llega repentinamente y si tus habilidades y conocimientos no son los adecuados, así como llega, el éxito se va.

CAPÍTULO 20

HAZTE NOTAR

¡Listo! Ya definimos nuestras metas, ya diseñamos un plan, hemos creado o hallado los recursos iniciales, ¿qué sigue ahora?

De acuerdo al nivel o grado de éxito que desees alcanzar, puedes escalar tu actividad tanto como tu mercado, plaza, o rubro lo permita. Incluso, en algunas ocasiones se puede romper la barrera de tu nicho o mercado actual (llegar a nuevos clientes), con innovación, creatividad, asociaciones con terceros, y/o servicios adicionales o productos relacionados.

Supongamos que tu profesión fuera el baile o la danza, y has decidido trabajar en ella, tal como hasta aquí hemos desarrollado, elevando tu valor al máximo y convirtiéndote, mediante estudio y práctica, en el mejor bailarín de tu ciudad (vale lo mismo si fuera el mejor animador de tu ciudad, el mejor conductor, el mejor abogado, el mejor arquitecto, el mejor diseñador, etc.). Inicio este punto, suponiendo que ya eres considerablemente bueno (o excelente) en lo que haces o representas. Ya has atravesado la etapa de creación y desarrollo de tu talento y/o actividad, como vimos en capítulos anteriores, mediante las tres llaves que abren el éxito: práctica, práctica y más práctica.

En esta instancia no estamos al inicio del proceso diciendo que quisiéramos aprender baile, o ser bailarín, o algún día vivir del baile; eso ya fue instancia de capítulos anteriores (definición de metas, obtención de recursos iniciales, desarrollo de la habilidad, elevación de mi valor de mercado, etc.). Aquí estamos en la instancia en la que ya has adquirido pleno dominio de la habilidad que deseas comercializar o con la cual se te reconozca.

Para elevar tu éxito a un nuevo nivel debes poder replantear tus metas iniciales (ser bailarín) indicando con mucha exactitud y claridad, cuál será esta nueva meta a la que pretendes llevar tu talento o habilidad (ser el mejor bailarín de tu ciudad, por ejemplo).

Veamos algunos ejemplos para dejar claro el concepto:

Soy conductor de radio:

Nueva Meta para escalar mi Habilidad y Profesión: ser el mejor conductor de radio de mi ciudad en X tiempo, y ser reconocido a nivel nacional en X plazo de tiempo.

Soy mecánico:

Nueva Meta para escalar mi Habilidad y Profesión: ser el mejor mecánico de mi zona en X tiempo, y construir el taller de mecánica más prestigioso de la zona en X tiempo.

Soy ingeniero:

Nueva Meta para escalar mi Habilidad y Profesión: ser uno de los ingenieros más reconocidos y mejores pagos de mi ciudad, consultado y/o contratado por las más importantes obras y/o empresas del rubro. También podría ser tener mi propia empresa y prestar mis servicios a otras empresas de prestigio nacional o internacional.

Tomemos el ejemplo del bailarín para poder desarrollar la secuencia a seguir en el escalonamiento de metas a un nivel más elevado de éxito:

Soy bailarín:

Nueva Meta para escalar mi Habilidad y Profesión: ser el mejor bailarín de mi ciudad en determinado tiempo.

El nuevo plan de acción o estrategia a seguir, se basa en dos pilares fundamentales que han demostrado poder escalar prácticamente cualquier carrera, negocio o actividad:

1. Definir un nuevo nivel de habilidad que deseas alcanzar. Convertirte en una de las personas más hábiles en tu rubro, en tu zona o ciudad, o en el ámbito en el que deseas o pretendes ser reconocido.
2. Trazar una estrategia que te dé a conocer.

Pilar 1:

Lo primero que debes preguntarte es:

¿Hay alguien que lo hace mejor que tú?

¿Quién o quiénes?

¿Cómo lo hacen? ¿Cómo lo consiguen?

Continúo con el ejemplo del bailarín para clarificar los pasos a seguir: si identificas quién es el bailarín más reconocido de tu zona, ciudad o país, tendrás allí un claro referente a imitar y seguir. ¿Qué debes imitar? ¿Lo que actualmente hace?

NO. Lo que debes imitar es el proceso por el cual ha llegado hasta allí. Averigua cómo entrenaba antes, cómo entrena ahora, qué nivel o tipo de práctica le ha requerido obtener sus logros, por cuánto tiempo (horas diarias) ha entrenado, con quién ha entrenado, por cuánto tiempo, etc.

Un pilar del éxito nos dice:

El éxito deja pistas.

Significa que cada persona que triunfa, ¡nos está haciendo el mejor de los regalos! Nos está ofreciendo en bandeja de plata el camino y/o métodos que SÍ funcionan, y los que NO funcionan.

Vayamos un paso más allá; imagina lo siguiente: si debieras enfrentarte cara a cara con esa persona (ese bailarín) y competir contra él, ¿consideras que puedes vencerlo con tu nivel de práctica y talento actual? ¿Te consideras mejor que él? ¿Qué tiempo necesitas para superarlo con tu habilidad y talento? ¿Qué tipo de práctica necesitas? ¿Durante cuánto tiempo? Pues ese es el camino que necesitas tomar. No porque tengas que vencer a nadie, sino porque necesitas un punto de comparación para poder entender qué significa ser el MEJOR y escalar tu nivel de éxito a una nueva magnitud. Tampoco significa que vas a ser mejor que esa persona o que puedas lograr fama y fortuna mediante este método, ese no es el objetivo. La estrategia se arma de este modo para ayudarte a comprender, entender, hallar, y direccionar, tus recursos y tu tiempo en la dirección correcta.

Practica hasta que no haya nadie que lo haga mejor que tú. ¿Cuáles prácticas necesitas para convertirte en el mejor? ¿En qué tiempo podrías dominarlas?

Resumen y replanteo

¿Quién es el mejor o el referente que tomaré de modelo para enfrentar y/o compararme?

....

¿Qué talento especial o qué cosa ha hecho para llegar a ese nivel?

....

¿Cuáles han sido sus aciertos para replicarlos, y cuáles sus errores para evitarlos?

....

¿Quién será tu nuevo coach o instructor para alcanzar este nuevo nivel de especialización o habilidad en tu área o profesión?

....

Pilar 2:

Para el mercado NO vales nada si no sabes mostrarte y/o comunicar tu VALOR.

Imagina que eres muy talentoso como conductor de radio o TV, o muy exitoso como mecánico, o como bailarín para nuestro ejemplo anterior: imagina que has elevado tu nivel de talento y experiencia hasta ser el mejor de tu ciudad, pero... ¿qué tan popular eres en tu rubro? Si no eres el más popular, significa que aún hay camino por andar, estrategias por elaborar, y mercado que conquistar.

Si no sabes darte a conocer, promocionarte, trabajar y desarrollar tu popularidad o la de tu marca, producto o servicio (la habilidad del comerciante), no te servirá de nada todo el talento que puedas haber desarrollado.

Todos conocemos la historia de Lionel Messi, el astro argentino del fútbol. Lionel ha desarrollado su talento mediante largas jornadas de práctica continuas desde muy pequeño. ¡Su habilidad y talento son innegables! Pero... de no haber sido VISTO en el momento justo por un cazatalentos, para ser llevado a la puerta de los grandes tomadores de decisión en su rubro (el fútbol), no habría ingresado al mundo de los cientos de millones que maneja ese deporte. Se conocen y cuentan por millares los casos de atletas, músicos, artistas, inventores, vendedores, empresarios, con ideas brillantes, proyectos increíbles, habilidades que rozan lo sobrehumano, y que no han podido encontrar la vía o ruta para ingresar a un nivel superior de éxito.

En ese momento exacto en el que aparece o se presenta el cazatalentos, tú debes estar tremendamente listo y/o preparado. Ese momento exacto de cruce entre tu habilidad, tu marca, tu producto, y quien puede abrir la puerta mayor, también puede diseñarse y/o crearse. ¡DEBE DISEÑARSE!

Debes aprender a mostrarte de otro modo, a otro nivel, y con otro tipo de gente. Una cosa es mostrarte para darte a conocer, otra para hacer tus clientes, y otra para hallar un posible sponsor, cazatalentos, productos, inversor, o lo que corresponda según tu rubro.

Si pudieras dividir en NIVELES la escalera del éxito que deseas caminar. ¿Cuáles son esos niveles?

Por ejemplo, has desarrollado el talento de la voz y eres un excelente animador o conductor. ¿Cuál es el nivel máximo que deseas alcanzar con tu talento, si pudieras elegir? ¿Conducir o tener tu propio programa en un canal importante, de prestigio internacional? ¿Cuál sería hacia abajo, el nivel siguiente? ¿Conducir o llevar tu propio programa en un canal importante, pero de ámbito nacional? ¿Y cuál sería hacia abajo el nivel siguiente? ¿Conducir o tener tu propio micro en un canal de alcance local? ¿Cuál sería, una vez más, hacia abajo el nivel siguiente? ¿Conducir ocasionalmente, ser entrevistador de alguna programa, hacer reportajes en radio, etc.?

¡Excelente! ¡Allí tienes el PLAN o RUTA que debes emprender!

Primero, potencia la habilidad.

Hazte las siguientes preguntas:

Para el primer NIVEL, iniciando desde abajo hacia arriba:

¿Soy el mejor dentro de ese nivel? ....

O ¿hay alguien que lo hace mejor que yo? ....

Segundo, ¡HAZTE NOTAR!

¡Haz que te vean, que sepan existes!

¿Cómo harás para presentarte ante las personas, medios, inversores, directivos, cazatalentos, que toman decisiones en ese NIVEL en el que pretendes ingresar?

Si no tomas tiempo suficiente para estudiar el rubro específico, identificar los cazatalentos o abrepuertas, como se los conoce en ese rubro en particular en el que deseas triunfar, todo tu talento NUNCA será explotado al máximo, ya que llegas a un puñado de gente muy limitado con lo que hoy haces.

Según el rubro en que te encuentres, las preguntas que debieras hacerte son:

¿Cómo hacerme notar a nivel local? ¿Nacional? ¿Internacional? ¿Cómo lo han hecho quienes ya están en ese nivel de éxito? ¿Cómo contactar con una consultora, coach, o guía de experiencia COMPROBABLE (que haya desarrollado casos similares) para poder incorporarme en ese nivel de juego?

Nunca tomes una consultora o coach simplemente porque se dedican a eso. ¡Asegúrate siempre que tus asociaciones sean con las personas indicadas!: ¿Lo han hecho antes? ¿Han desarrollado una marca similar, han creado un éxito en mi rubro? ¿A quién? ¿A qué producto? ¿Cuál servicio? ¿Con cuáles resultados? ¿Cuál inversión? ¿En cuánto tiempo?

Es fundamental en esta instancia contactar a personas que ya están en ese nivel de talento o éxito que pretendes alcanzar. Elabora una lista de diez y evalúa los medios y/o posibilidades para tener un encuentro con ellos. Ellos buscan hacer más dinero, no negarán jamás una sesión o entrevista paga. Acuerda los honorarios, ¡y hazlo! El dinero habrá valido la pena, ya que acortarás años de búsquedas y/o intentos que hubieran sido fallidos.

En los negocios sucede exactamente lo mismo.

Quizás tengas un excelente producto. El mejor del mundo. Eso no es garantía de éxito.

Cada año, miles de productos son arrojados a la basura por no haber sido comunicados de forma correcta en el momento correcto. Productos increíbles que resuelven numerosos problemas a las personas no vieron la luz ni pudieron ser lanzados debido a la falta de la habilidad COMERCIAL por parte del emprendedor.

Hazte las siguientes preguntas:

¿Cuántas personas están viendo tu producto cada día?

¿Cuántas personas están degustando, probando, usando tu producto cada día?

ESE es tu alcance hoy. El nivel de tu éxito y de tus resultados es proporcional a tu nivel de exposición actual.

¿Cómo puedes comunicar o hacer llegar tu producto o servicio a más público o más gente? Elabora una lista de 21 maneras de expandirte, aumentar tus ventas, incrementar la exposición de tu marca o producto, ideas para conocer nuevas personas de talento y experiencia en tu rubro que puedan ayudarte a conseguir este nuevo nivel de exposición. Desarrolla algunas ideas para llegar a otro tipo de público o segmento, ampliar tu mercado, etc.

Quizás estés diciendo: ¡PUBLICIDAD! ¡Si invierto en publicidad, más personas podrán verme y ser reconocido!

Esto no es del todo cierto. Más publicidad o más exposición no significan ni implican más resultados, mayores ventas o un nuevo nivel de éxito en tu vida. No siempre.

Es aterrador el número de empresas y proyectos que van a quiebra por haber hecho maniobras erradas en sus finanzas y/o presupuestos publicitarios. El dinero que ingresa a la empresa debe tener un destino principal: reponer el stock en primer lugar (costo de mercaderías vendidas en caso que existieran mercaderías o productos), y en segundo lugar publicidad (para generar más ventas, más clientes y más resultados).

Si destinas el dinero a otros rubros, como bien podrían ser ampliaciones, contratar nuevos empleados, mobiliario nuevo, coches, y cualquier otro costo/gasto relacionado a tu negocio o producto que parezca razonable, no servirá de nada.

Solo el dinero que destines de forma CORRECTA a hacer MÁS VENTAS hará crecer tu negocio y tu marca o empresa.

Hay que distinguir entre acciones publicitarias para posicionamiento de marca (darte a conocer) y acciones publicitarias para hacer ventas (generar degustaciones, pruebas del producto, compras puntuales, o usuarios (potenciales clientes) en tu local preguntando ¿cómo funciona? ¿De qué trata? ¿Cómo sería? ¿Puedo probarlo?, etc.).

Las acciones de posicionamiento de marca son las que arruinan todo proyecto. Ese tipo de movimiento financiero solo está disponible para las grandes marcas que pueden soportarlo y que necesitan anclar su nombre en la mente del consumidor debido a la enorme competencia de productos sustitutos con la que deben batallar cada día. Salvo que seas Coca Cola, McDonald's, o una importante franquicia local que requiere posicionar marca, slogan, nombre, ¡ni lo intentes por esta vía! Tú debes incrementar tus resultados (ventas/facturación/ganancias) en el menor tiempo posible. ¿Cómo se consigue? ¡Generando más ventas AHORA! Más clientes HOY, con acciones específicas para eso.

¿Cómo elegir la mejor acción para impulsar VENTAS?

Si la acción elegida impacta en las ventas de un día para otro, la acción es correcta. Si la acción elegida necesita de varias semanas o meses para poder mostrar resultados, ¡olvídate de ella! Los altos ejecutivos y encargados de marketing suelen hacernos creer que se requiere un tiempo para que las acciones se desplieguen, puedan ser medidas, retroalimentarse, y finalmente saber qué funciona y qué no funciona. Eso para mí es ineficiencia e inoperancia de quien lo propone.

Tus acciones de venta (generación de nuevos clientes) deben poder medirse a diario y en su primer día. Si algo no funciona, si el retorno sobre tu inversión publicitaria o el costo por cada nuevo contacto o cliente generado no son los que esperabas, corrige de inmediato, prueba con otra estrategia, ajusta el plan, y encuentra tu mejor opción.

CAPÍTULO 21

NO SEAS INGENUO. ¡HAZTE AMIGO DE LOS IMPREVISTOS Y PROBLEMAS!

La pregunta no es si habrá o no imprevistos y problemas. En tu camino al logro de las cosas que anhelas, la pregunta es: ¿Qué harás cuando estos se presenten?

El escritor y conferencista motivacional Paul Harvey, dijo: *"Es fácil darse cuenta que estamos en el camino del éxito. Es todo cuesta arriba."* Es ingenuo creer que todo saldrá según lo planeado. El plan de acción es el MAPA de ruta que nos guía respecto a lo que debemos hacer y en qué momento hacerlo para llegar al destino que buscamos. Pero los acontecimientos y circunstancias que se presentan una vez que estás en marcha, no pueden prevenirse.

Esos imprevistos inevitables, en forma de obstáculos, problemas, engaños y desilusiones, pondrán a prueba una y otra vez tu determinación para seguir y respetar el plan de acción.

- La probabilidad de que una de tus ideas fracase es real y existe.
- La probabilidad de que pierdas dinero en alguno de tus planes y/o proyectos existe.

- La probabilidad que la gente te critique y quite su apoyo, incluso las personas que menos lo imaginas o esperas, es un hecho que tarde o temprano sucederá.

No se trata si van a ocurrir o no, sino cómo vas a reaccionar, resolver, y volver a encaminarte, cuando estas cosas sucedan. Incluso en otras áreas de tu vida también recibirás frecuentemente reveses y situaciones de dolor o sufrimiento (un desamor, un engaño, una muerte, una pérdida inesperada, etc.). ¿Estás listo para cuando esto suceda?

Un monje le dijo una mañana a su maestro que tenía un problema que deseaba comentarle, y este le contestó que esperase hasta la noche. Llegada la hora de dormir, el maestro se dirigió a todos los discípulos preguntando: *"¿Dónde está el monje que tenía un problema? ¡Que salga aquí ahora!".*

El joven, lleno de vergüenza, dio un paso al frente. *"Aquí hay un monje que ha aguantado un problema desde la mañana hasta la noche y no ha sido capaz de resolverlo".* Dijo el maestro: *"Si tu problema hubiese consistido en que tenías la cabeza debajo del agua, no habrías aguantado más de un minuto con él. ¿Qué clase de problema es ese, que eres capaz de soportarlo durante todo el día?".*

El motivo de este capítulo, es alertarte sobre esas situaciones que quizás son indeseables para la mayoría de las personas pero que son parte inevitable del hecho de VIVIR la vida y pelear por tus sueños y las cosas que quieres. Vivir consciente de esto te permite ACCIONAR desde una perspectiva superior, y no solo REACCIONAR ante estas circunstancias haciendo más dolorosa la experiencia.

Después de cada problema o de cada experiencia adversa, viene siempre una etapa nueva en nuestra vida. Etapa que nace a partir de la reflexión, conocimiento, asimilación e incorporación de esa experiencia vivida.

Muchas veces, algunas malas experiencias pueden capitalizarse y utilizarse bajo la perspectiva correcta y el pensamiento adecuado, en experiencias de crecimiento que terminan por convertirte o transformarte en una persona más preparada para enfrentar desafíos y retos futuros.

Un pilar del éxito dice:

Ningún obstáculo o problema nos deja en la misma situación en que nos encontró.

Hay obstáculos ante los cuales las personas deciden trabajar y superarlos, haciendo que su vida se enriquezca a partir de ese problema u obstáculo vivido. Hay otros en cambio que permiten a la circunstancia adversa poner fin a sus proyectos y/o metas.

Cada obstáculo o problema tiene la capacidad de hundirte o elevarte, según tú elijas.

Si vas a construir una vida a lo grande, lo que más encontrarás a la hora de llevar adelante tu plan de acción, serán OBSTÁCULOS y PROBLEMAS. Y descubrirás que hay cosas que no sabes, que no tienes dinero suficiente para avanzar, que te faltan relaciones o personas a quienes conocer, que no tienes contactos suficientes, que necesitas desarrollar alguna habilidad nueva o especial, etc. y etc.

Si no canalizas adecuadamente tu ENERGÍA para generar la VISIÓN y las IDEAS correctas para resolver cada adversidad, perderás el entusiasmo poco a poco, y con ello tus metas se nublarán.

Las personas más felices del mundo no son las que no tienen problemas, sino las que saben cómo enfrentarlos.

Yo no supe cómo resolver todos los problemas que se presentaron a la hora de lanzarme al logro de mis metas, pero eso no significó jamás que esos problemas fueran imposibles de solucionar. Muchas veces me ha costado hallar rápidamente la persona correcta para pedir ayuda, otras veces no tomé el tiempo suficiente para meditar con detenimiento alguna situación problemática, pero mi pensamiento dominante siempre fue: *"Todo problema tiene solución".*

Un pilar del éxito nos dice:

El éxito o fracaso ante un problema no tiene que ver con el problema, sino con la persona que lo atraviesa.

Por esto hay gente que fracasa donde otras tienen éxito, y gente que tiene éxito donde otras demostraron un rotundo fracaso.

El edificio de un hombre de negocios ardió hasta los cimientos. A la mañana siguiente, este hombre llegó a las ruinas y cenizas de su negocio cargando una mesa. La colocó en el centro de los escombros. Encima de ella puso cartel para que sus empleados y colaboradores lo pudieran ver. Decía: *"Todo se ha perdido excepto mi esposa, mis hijos y mi esperanza. Los negocios se reanudarán mañana como de costumbre".* Era Thomas Edison.

Debes hacer de los problemas e imprevistos, amigos y aliados habituales de los que aprenderás, e incluso sacarás provecho siempre.

Cinco *tips* finales para elevar tus pensamientos

1. El fracaso no es el final, sino el inicio del aprendizaje.
2. Las personas exitosas fracasan tantas veces como las que tienen éxito. No hay diferencias.
3. Nunca el éxito viene hasta después de varios fracasos.

4. Cuando el éxito llega no significa que no sigamos fracasando.

5. Solo la muerte nos evitará seguir fracasando.

"El hombre sensato se anticipa a los problemas y se prepara para enfrentárseles, el hombre simple no prevé y sufre las consecuencias".

Prov. 27:12 – La Biblia.

Busca los *tips* completos para elevar tus pensamientos en nuestra web: **www.JoseMontoya.info**.

CAPÍTULO 22

¿MIEDO O EXCUSAS?

Cuando tenemos 20 años nos animamos a enfrentar la chica que nos gusta, salir con amigos, salir de paseo una noche entera y al día siguiente continuar el día con energía, hacer algún viaje distante con poco dinero y ver qué resulta. Nos animamos a muchas cosas. A los 25 años nos atrevemos a empezar algún negocio, o poner en marcha alguna idea nueva. Pero una vez pasados los 30 años algo empieza a sucedernos, porque ya no se cuenta con la misma iniciativa que antes, ni estamos tan dispuestos al riesgo.

Nuestra actitud frente a la vida es totalmente diferente a medida que nos hacemos más adultos y empezamos a buscar todo tipo garantías antes de hacer algo. Dicho de otro modo, nos volvemos más cobardes.

Y nos preguntamos: ¿Qué GARANTÍA tengo de que esto va funcionar? ¿Y que va pasar si esto no funciona?

Veamos a qué se deben algunos de estos miedos adquiridos.

1 – FRACASOS ANTERIORES

Las experiencias pasadas sobre intentos o acciones que emprendimos y no produjeron el resultado deseado, nos dejan siempre un trauma interno (inconsciente) muy difícil de superar. Sobre todo cuando estas experiencias nos hicieron perder dinero, distanciarnos de determinadas personas en nuestra vida, cambiar de trabajo o de ciudad, etc. Entonces, si lo que ya hicimos antes no produjo los resultados esperados, ¿por qué intentar ahora nuevamente? ¿Por qué sería diferente esta vez?

Creer que porque ya me ha ido mal o porque fracasé antes en otros proyectos, mis próximos intentos terminarán también en fracaso, es un pensamiento común y muy difícil de erradicar.

"Tengo miedo", "no me animo", "me va ir mal", "me va ir como antes", "ya probé y no funcionó", son todas reacciones de defensa (negativas) que responden a pensamientos negativos, basados en experiencias o conocimientos negativos, y que se traducen en actitudes y decisiones negativas frente a una situación o hecho presente.

Como ya aprendimos, difícilmente las cosas salen como esperamos en el primer intento. El éxito está muy oculto después de varios fracasos e intentos continuos en búsqueda de ajustar, aprender de los errores cometidos, y finalmente poder acertar y dar en el blanco.

Si no estás dispuesto a cometer algunos errores, atravesar algunas situaciones difíciles, perder algunas batallas ANTES de empezar a acertar y ver tus primeros resultados, el éxito entonces, no es para ti.

Un pilar del éxito nos dice:

El fracaso es permanente cuando dejamos de intentar.

Creer que no puedo hacer algo solo porque una vez lo intenté y fracasé, es como creer que porque una vez nos quedamos sin gasolina en la ruta, no volveremos a conducir o tocar un vehículo de nuevo, en lugar de reflexionar y pensar: *"Seré más cui-*

dadoso la próxima vez, ahora que ya conozco qué fue lo que antes hice mal", "seré más cuidadoso esta siguiente vez, y no cometeré nuevamente el mismo error", "aprenderé la lección e intentaré con más fuerza", "seré más precavido la próxima vez, pero no me privaré de conducir y viajar".

Los fracasos son el único camino al éxito si se es capaz de aprender de cada uno de ellos.

Si tomas tus fracasos anteriores como algo permanente, te quedarás viviendo en el error.

Pero si usas tus experiencias anteriores como una lección de vida para aprender y corregir lo que no estuvo bien, cada vez estarás más cerca de alcanzar el nivel de éxito que anhelas.

Si antes te ha ido mal, reflexiona en lo siguiente:

- ¿Qué fue realmente lo que hizo que las cosas no salieran acorde a lo planeado?

....

....

....

- ¿Cómo lo evitaré en mi próximo intento?

....

....

....

- ¿Cómo puedo impedir que esa situación de fracaso se produzca nuevamente?

....

....

....

- ¿Qué acciones implementaré para avanzar y evitar este fracaso?

....

....

....

2 - EL ENTORNO. MIEDO A DEJAR DE PERTENECER

Nuestro entorno no espera nuestro progreso y mucho menos el éxito de nuestras ideas. La mayoría de las personas que conocemos viven estancadas y encerradas en rutinas sin desafíos, sin riesgos y con alto grado de habituación y estancamiento. El entorno y las personas que nos rodean, pretenden que todo a su alrededor permanezca lo más estable y estático posible, ¡sin cambios! Todo lo que implique moverse en una nueva dirección o salirse de lo cómodo, habitual y conocido para ellos, es interpretado como un riesgo o una amenaza que debe ser eliminada.

Un pilar de éxito nos dice:

Nada crece cuando las exigencias del entorno son bajas o inexistentes.

Es gracias a la adversidad y a la falta de agua que las raíces más fuertes crecen hasta lo más profundo de la tierra en busca de humedad y agua, dando como resultado las plantas más robustas y fuertes sobre la superficie.

El entorno: miedo al rechazo

El miedo al rechazo es provocado por pensamientos como *"¿Por qué voy a hacer algo que nunca he hecho antes? ¿Y si me va mal o si fracaso, qué dirán las personas que me rodean?*

Hay dos formas de vivir la vida: en aprobación con los demás o en armonía con tus sueños y tus metas. Necesitas aprender a escuchar tu corazón y HACER LAS COSAS QUE QUIERES HACER, SIN IMPORTAR QUIÉN TE APRUEBA Y QUIÉN NO.

Si sigues escuchando a los que te critican, a los que te rodean y que no apoyan tus sueños; si sigues perdiendo tiempo con aquella gente que no van a ninguna parte, tendrás que conformarte con lo que tienes y eliminar todas tus ambiciones.

No se trata de enfrentar a las personas de tu entorno, sino de enfrentar tus propios miedos. Tampoco se trata de eliminar completamente estos miedos, ya que en general los miedos no desaparecen tan fácilmente. Se trata de avanzar pese a los miedos que podamos sentir para impedir que tomen control sobre nuestra vida y nuestras acciones.

Todo el mundo tiene miedos. La clave está en aceptarlos y seguir adelante a pesar de ellos.

En la película Troya hay algunos mensajes sobre enfrentar los miedos: *"Ni loco pelearía con ese gigante"*, dijo el niño. A lo que el héroe respondió: *"Por eso nunca nadie recordará tu nombre"*.

En la misma película, cuando el héroe duda sobre ir o no a la guerra, pide consejo a su sabia madre, quien le dice: *"Puedes quedarte aquí y conseguir una hermosa mujer, tener hijos, verlos crecer y que estos te den nietos. Y así, vivirás feliz hasta que mueras. Y cuando mueras, tus hijos y nietos te recordarán, pero luego los hijos de sus hijos no sabrán de ti, tu nombre se habrá perdido para siempre y no habrás hecho nada trascendente. O... puedes ir a Troya y conquistar la gloria. Se escribirán leyendas de tus hazañas, cambiarás el mundo conocido y te recordarán por mil años..."*.

El miedo tiene su lado positivo y su lado negativo.

Negativo: puede paralizarte si le permites controlar tus acciones y decisiones.

Positivo: puede hacerte precavido si sabes ubicarlo en el lugar adecuado.

La sensación de miedo no significa que no debas avanzar o no debas hacerlo, sino que quizás debas revisar nuevamente la propuesta, el plan, la decisión, la elección, o buscar más información al respecto, ser más cuidadoso a la hora de avanzar y/o poner en riesgo algo.

"Haz lo que temes y el temor desaparecerá".
Anónimo

LAS 5 CLAVES que hicieron RICO a Salomón

Visité varios santuarios y mezquitas en mis viajes a Oriente Medio para conocer y adentrarme en la cultura local. En uno de ellos, lo breve y clara de una frase grabada en su entrada, llamó mi atención. Decía así: *"El primer paso es OBSERVAR".*

La frase me recordó una vieja lección del rey Salomón, el maestro de la riqueza de todos los tiempos. El rey Salomón era un estudioso de la conducta y los resultados que otros obtenían. Antes de iniciar una acción, mandaba a buscar en todos los reinos de la época a quienes ya hubieran intentado ese método o una estrategia similar antes. Esto lo convirtió en el mejor administrador de todos los tiempos y el hombre más rico del mundo que jamás haya existido.

Una de sus frases favoritas: *"Miré lo que otros hacían, lo puse en mi corazón y tomé consejo". (Prov. 24.32 - La Biblia).*

Los errores y desaciertos de los demás son parte de una lección que la vida nos da.

Un pilar del éxito nos dice:

**No aprendemos desde donde comenzamos
nosotros, sino desde donde comenzaron
y llegaron los demás.**

Para ser un buen "hacedor" necesitas primero ser un buen "observador".

Para Salomón era clave ver cómo se conducían otras personas y qué resultados obtenían ellos con las acciones que emprendían.

El éxito de otras personas puede convertirse en mi propio éxito cuando copio lo que esas personas hicieron. Salomón no buscaba negocios para hacer dinero, sino personas haciendo dinero para imitar sus planes y conductas. A la hora de planear sus finanzas y hacer dinero, solo copiaba a los mejores y apartaba con prisa al perezoso, al lento, y al de escasos resultados.

Cinco *tips* para mejorar tu vida

1. Saca provecho para tu vida de todo lo que ocurre a tu alrededor.

2. Descarta los métodos, consejos y formas de quienes pasan por la vida sin grandes logros.

3. Apégate a los métodos y formas de quienes han conseguido lo que tú esperas lograr.

4. ¿Qué has visto hasta ahora? ¿Cómo es la gente que te rodea? ¿Qué ha hecho para estar así?

5. Evita los comportamientos que producen resultados negativos e imita los comportamientos acertados que producen resultados positivos.

Conviértete por un momento en el rey SALOMÓN. Tienes acceso a toda su sabiduría en la medida que imites algunos de sus actos. Elabora ahora mismo, una lista de tres nombres de personas a las que puedas estudiar a partir de este mismo día, su metodología, sus pasos, sus errores, sus aciertos. Imita la conducta de OBSERVADOR del rey SALOMÓN. Elige tres personas para estudiar, analizar e imita desde hoy mismo. Asegúrate que sean ellos hombres o mujeres que ya están en el lugar al que tú aspiras llegar.

Persona 1 a quien observaré:

- Nombre ....
- ¿Qué metas o logros ha obtenido que yo quisiera ver replicados en mi vida?

....

- ¿Cuál es la habilidad o virtud principal que encuentro en esta persona?

....

- ¿Qué paso concreto puedo comenzar a dar hoy mismo para dar lugar a esta virtud o habilidad en mi vida?

....

Persona 2 a quien observaré:

- Nombre ....
- ¿Qué metas o logros ha obtenido que yo quisiera ver replicados en mi vida?

....

- ¿Cuál es la habilidad o virtud principal que encuentro en esta persona?

  ....

- ¿Qué paso concreto puedo comenzar a dar hoy mismo para dar lugar a esta virtud o habilidad en mi vida?

  ....

Persona 3 a quien observaré:

- Nombre ....

- ¿Qué metas o logros ha obtenido que yo quisiera ver replicados en mi vida?

  ....

- ¿Cuál es la habilidad o virtud principal que encuentro en esta persona?

  ....

- ¿Qué paso concreto puedo comenzar a dar hoy mismo para dar lugar a esta virtud o habilidad en mi vida?

  ....

Toma una foto de este ejercicio y comparte en tus redes sociales. Haz que tu compromiso sea visible. Comparte también en nuestra web y nuestras redes sociales. Todas nuestras redes están disponibles desde nuestro sitio: **www.JoseMontoya.info**.

CAPÍTULO 23

¿DINERO Y FELICIDAD VAN DE LA MANO?

El éxito en el sentido que lo hemos trabajado (incrementar un mayor nivel de satisfacción económica y de crecimiento personal), se construye desde pasos, estrategias y habilidades concretas que debes desarrollar e implementar adecuadamente.

La felicidad definida como un estado de plenitud y/o alegría del ser, tiene un camino o ruta diferente a la del éxito material, y dependerá de cada ser humano en particular.

Encontrarás muchas personas extremadamente exitosas en sus logros materiales y económicos, pero infelices y vacías aún en otras áreas de sus vidas.

Hay personas que por tener una mala interpretación del Éxito, el Dinero y la Prosperidad, consideran que el ÉXITO en el área económica es algo malo, y que produce infelicidad. Esto es dar por sentado que DINERO y FELICIDAD no van de la mano. Alguien que cree que el ÉXITO condiciona su felicidad y viceversa, transmitirá y recreará este pensamiento a su realidad.

Muy por el contrario, quienes consideramos que el ÉXITO financiero y la FELICIDAD se logran por caminos separados, podremos trabajar AMBAS cosas en cada área de nuestra vida.

La felicidad, al igual que cualquier otro aspecto de nuestra vida en el que busquemos mejorar y crecer, necesita cuidado, aprendizaje y atención continua. De igual modo, no se puede ser feliz los 365 días del año, ya que siempre existirán hechos, momentos o circunstancias desagradables que escapan a nuestro accionar, y que quizás nos hagan sentir tristes o infelices por un momento breve o por un momento prolongado. ¿De qué dependerá? De nuestra preparación mental, emocional y espiritual para enfrentar cada vivencia y controlar nuestros sentimientos relacionados con esas circunstancias de la vida.

Nadie es perfecto, y por ende, las personas que nos rodean y el entorno en que vivimos tampoco son perfectos como para brindarnos felicidad al 100%, 24 horas al día, 365 días al año.

Recuerda que si tú no eres feliz, o si te cuesta hallar felicidad, también te costará hacer feliz a la gente que te rodea. **No se puede dar lo que no se tiene.** No se puede hacer feliz a nadie más si uno no está pleno, feliz y completo primero.

Mi objetivo personal es trabajar y ocuparme de ser feliz la mayor parte del tiempo posible, y desde allí, poder hacer feliz a las personas que me rodean.

¿Qué cosas te hacen feliz?

....

....

....

....

....

....

....

Describe algunos momentos en los que experimentaste mucha felicidad. Generalmente estos momentos se tornan inolvidables por la fuerte sensación de felicidad experimentada en esa vivencia: recuérdalas y escribe algunas a continuación, por ejemplo: fui feliz cuando sucedió tal cosa... o cuando hice tal otra... Describe todos los momentos que puedas, usa tu carpeta o cuaderno de notas para ello:

1. ....

2. ....

3. ....

4. ....

5. ....

6. ....

7. ....

Ahora que ya sabes cuáles cosas producen felicidad en tu vida, deberías trabajar conscientemente para recrear más de estos momentos.

A mí, por ejemplo, me hace muy feliz ver alegres y felices a otras personas. Crear momentos felices para otra gente es algo que me estimula y llena de vida continuamente. Y eso es lo que intento hacer con mi trabajo, con mi familia, con los niños de la Fundación que asisto, con mis empleados, con mis colegas, proveedores, socios, y con cada persona que se pueda cruzar en mi camino en el día a día... Eso me hace muy feliz.

Realiza ahora una lista, de aquellas cosas que provocan tristeza o infelicidad en tu vida. Ambas listas, son importantes para mejorar la calidad de tu vida y de las personas que amas.

Describe ahora aquellas cosas, situaciones y momentos que actualmente vives, o que hayas vivido antes, y que te hacen infeliz y/o te llenan de tristeza. Describe todos los momentos que puedas, usa tu carpeta o cuaderno de notas para ello:

1. ....

2. ....

3. ....

4. ....

5. ....

6. ....

7. ....

Trabaja **conscientemente** de ahora en adelante para eliminar los momentos descriptos en esta última lista. Tienes que eliminarlos por completo. Quizás no será sencillo, quizás no sucederá de un día para otro, pero debes **conscientemente** trabajar para erradicar y resolver estas circunstancias de tu vida.

Tal vez, debas alejarte de ciertas personas. Quizás debas tomar alguna decisión determinante y cortar de raíz alguna relación... no lo sé.

Esas situaciones que puedan estar hoy causando dolor y distracción mental o psicológica, drenan tu energía y felicidad a ninguna parte, siendo obstáculo para tu plenitud, para tu tranquilidad y paz interior, y para una vida feliz que desde luego, mereces vivir... Solo así podrás sentirte completo y hacer feliz a quienes te rodean y amas.

Al final de cuentas lo único que importa es qué tan feliz fuiste al vivir tu vida, y a cuánta gente hiciste feliz en tu paso por ella.

Algunos creen que serán felices cuando alcancen cierto nivel económico, cuando tengan la pareja ideal a su lado, cuando sus hijos cambien su conducta, cuando consigan un mejor empleo, el jefe renuncie, o cuando tal cosa suceda. Pero la felicidad genuina es una decisión. Esto significa que viene desde adentro y no desde afuera. Si buscas tu felicidad en un hecho que debe suceder o algo que debes alcanzar, es muy probable que cuando eso ocurra, tengas otros motivos por los cuales no ser feliz.

Elige ser feliz, hoy, aquí, ahora, donde estás, con lo que tienes, con las personas que hoy tienes. Todo lo demás es probable que permanezca sin cambios durante mucho tiempo más.

Recuerda siempre: **nadie es responsable de hacerte feliz ni nadie puede hacerte feliz.** Asimismo, **nadie puede hacerte infeliz sin tu permiso.**

No intento darte instrucciones para que seas feliz, ya que no es el objetivo de este libro. Solo quiero dejar bien claro que la felicidad y el éxito económico no van de la mano, y que lograr tus metas económicas, como hemos aprendido en este libro, no conduce a tu felicidad ni a tu infelicidad.

La mujer cuyo esposo no la hace feliz

En cierta ocasión, durante una elegante fiesta con damas y caballeros de alto status social, una de las mujeres se acercó a la esposa del destacado y reconocido anfitrión, y delante de las demás mujeres, le preguntó:

—¿Te hace feliz tu esposo? ¿Verdaderamente te hace feliz?

El esposo, quien en ese momento no estaba a su lado pero sí lo suficientemente cerca para escuchar la pregunta, prestó atención a la conversación y sonrió en señal de seguridad, pues sabía que su esposa diría que sí, ya que ella jamás se había quejado durante su matrimonio.

Sin embargo, para sorpresa suya y de los demás, la esposa respondió:

—No, no me hace feliz.

En la sala se hizo un incómodo silencio, como si todos los presentes hubieran escuchado la respuesta de la mujer.

El marido estaba petrificado. No podía dar crédito a lo que su esposa decía, y menos en un lugar con tanta gente importante de la comunidad. Ante el asombro del marido y de todos, ella simplemente se acomodó el cabello por sobre su elegante tapado de seda blanca y continuó:

—No, él no me hace feliz... ¡Yo soy feliz! El hecho de que yo sea feliz o no, no depende de él, sino de mí. Yo soy la única persona de quien depende mi felicidad. Yo determino ser feliz en cada situación y en cada momento de mi vida. Si mi felicidad dependiera de otra persona o de otra cosa, o de alguna circunstancia, estaría en serios problemas. Yo decido ser feliz y lo demás son experiencias o circunstancias para aprender a ayudar, comprender, aceptar, escuchar, consolar, y junto a mi esposo lo he vivido y practicado muchas veces... La felicidad siempre se apoyará en el verdadero perdón, en el amor a uno mismo, y en el amor a los demás. No es responsabilidad de mi esposo hacerme feliz... Él también tiene sus experiencias o circunstancias, lo amo y él me ama, muy a pesar de sus circunstancias y de las mías. El amar verdaderamente es difícil, es dar amor y perdonar incondicionalmente, vivir, tomar las experiencias o circunstancias como son, enfrentarlas juntos y ser felices por elección.

CAPÍTULO 24

NIÑOS EN RIESGO

Por mucho tiempo, y cada vez que llegaba a mí la noticia sobre algún niño padeciendo alguna situación de injusticia, violencia o abuso, me consternaba y pasaba varios días angustiado y culpando a Dios por la desprotección de los más débiles e inocentes de este mundo. Desde los niños que están pidiendo limosnas en un semáforo desde tempranas horas de la mañana en días de mucho frío, hasta los casos de abuso sexual y/o maltrato familiar que son tan frecuentes y que poco conocemos porque nunca llegan a las noticias. Todas son situaciones que me causan espanto, dolor, angustia y mucha indignación por lo poco que hacen los que pueden hacer algo al respecto (gobernantes, poderosos, personajes de influencia popular, famosos, políticos, etc.).

Admito que no siempre conmovió mi corazón el sufrimiento ajeno. No al grado de pensar en ello cada día o al punto de ocuparme y/o hacer algo al respecto. O no era tan consciente del dolor ajeno antes, o quizás algo cambio en mí. Tal vez haber hecho contacto a través de varias ONG con la realidad de algunas aldeas en países con extrema pobreza, me hizo ver la vida de otra manera. Supongo también que Dios tenía un plan para mí en este sentido.

Actualmente nos ocupamos de organizar y emprender acciones humanitarias a sitios donde hay niños y/o personas en situaciones de riesgo. He visitado aldeas donde es totalmente normal ver a los niños trabajar desde los 4 o 5 años de edad, donde es habitual ver los nenes bañados en orina y excremento, en la mayoría de los casos con graves problemas de malnutrición.

Hemos visitado lugares donde hay que caminar hasta 30 kilómetros todos los días en busca de un poco de agua, y que ni siquiera es agua potable. He visto personas y niños sometidos a trabajos forzados e insalubres, recibiendo a cambio un poco de basura para usar de alimento y poder vivir quizás, algunos días más.

Casi sin darme cuenta, me encontré de pronto sumergido en una cantidad de historias y pedidos de ayuda de diferentes partes del mundo, lo que me condujo a interiorizarme y ver cómo ayudar a alguna de esas almitas pequeñas que no tienen manera de defenderse de los déspotas que las someten y maltratan cada día.

Un misionero de la Fundación Logos, a quien dimos nuestro apoyo y quien vivió en zonas extremas en diferentes misiones, nos proporcionó material con historias de lo que sucede en algunos lugares donde llegan sus acciones humanitarias. En una de sus cartas nos dice: *"Por más esfuerzo que hagamos, estos chicos no llegarán a cumplir 12 años de edad".*

Así fue como comencé a involucrarme cada vez más en casos y causas en diferentes partes del mundo, tomando contacto con una realidad de la que poco se habla y que muy pocos conocemos: los niños esclavos.

En algunos estados del mundo la esclavitud infantil es algo normal, aun en nuestra época. Lo que hemos vivido en algunos de nuestros viajes intentando ayudar a organizar movimientos y acciones en repudio de estas desigualdades e injusticias, ha llegado a veces a poner en riesgo nuestra vida misma. Sin embargo, he aprendido que si me produce tanto DOLOR e infelicidad el sufrimiento de los inocentes que deberíamos cuidar y proteger (los niños) es porque está en mí **el llamado** a hacer algo al respecto.

Déjame compartir los números del horror:

- Cada 5 segundos mueren 3 personas de hambre en el mundo. En una época en la que hay abundancia de alimentos, y la mitad del planeta sufre de obesidad, diabetes y colesterol, hay personas que mueren de hambre no por falta de alimentos, sino por los intereses de poderosos y gobernantes de naciones que solo buscan su propio bienestar.

- Cada 30 segundos un niño menor de 7 años muere por falta de alimento o desnutrición. A causa del grave estado de malnutrición, las defensas de estos pequeños se debilitan a tal punto que enfermedades simples como la gripe, terminan acabando con sus vidas.

- Cada vez hay más muertes por malaria, neumonía, diarrea, sarampión o sida en países de Asia y África. Y no porque no lleguen los medicamentos hasta ellos, sino porque la ayuda humanitaria en su gran mayoría se desvirtúa o desvía para provecho y negocio de unos pocos.

- Más de 1.000 millones de personas viven actualmente en la pobreza extrema (con menos de un dólar al día).

- Más de 1.500 millones de seres humanos no tienen acceso al agua potable.

- 2.000 millones de personas carecen de acceso a medicamentos esenciales en el mundo.

En este mismo instante hay un niño que es entregado por su familia para el tráfico de órganos, una niña que es abusada por miembros de su entorno, otro niño a punto de morir de hambre o enfermedad. Todo este dolor e impotencia me ha mostrado una sola cosa: yo debo algo al respecto.

Déjame compartir esta reflexión:

En una ocasión, un niño caminaba por la arena blanca de la playa. A medida que avanzaba su paso, iba levantando una a una las estrellitas de mar que la marea había dejado fuera del agua. Cuando observó que esas estrellitas se estaban muriendo fuera del agua, las levantó y con fuerza las arrojó otra vez al mar.

Un anciano que estaba sentado junto a la playa observó todo el cuadro, por lo que decidió acercarse al niño y le dijo: *"Oye niño, no seas tonto, ¿no ves cuántas son?, nunca podrás salvarlas a todas las estrellitas".* El niño respondió: *"Quizás no pueda salvarlas a todas".*

Caminó un paso más, levantó otra estrellita en su mano, la miró, luego miró al anciano a los ojos, y antes de arrojarla al agua, le dijo: *"Pero con esta estrellita al menos, voy hacer la diferencia".*

No necesitas ir a África o Asia para ver cómo los inocentes sufren las injusticias del sistema. En tu ciudad, o allí donde quiera que estés, hay niños pasando frío, hambre y sufriendo violencia, incluso en sus propios hogares, de las mismas manos de quienes deberían recibir AMOR y CUIDADO.

Por esto, antes de despedirme, quiero invitarte a que estés en contacto con mi equipo de trabajo, para que juntos podamos permanecer alertas sabiendo que alguien, en nuestro barrio o nuestra zona, está necesitando ayuda y no puede pedirla ni mucho menos defenderse por sí mismo. Por lo general son niñitos pequeños que todos los días tienen la esperanza de que tú y yo hagamos algo para encontrarlos y rescatarlos. Y repito, no son a veces niños de la calle, son niños en las situaciones que menos imaginas, que parecen bien cuidados en su hogar, pero cuando nadie los ve, son violentados por su mismo entorno.

En mi país, Argentina, cada vez son más los casos de violencia familiar. Las estadísticas de Unicef en Argentina dicen que **es mayor al 5% la cantidad de niños que sufren violencia grave o extrema (esto es: quemaduras, golpizas frecuentes, amenazas con armas y cuchillos, abuso sexual, golpes con palos o elementos). Otros estudios comprueban lo que Unicef menciona y además revelan que el 25% de los menores sufre violencia leve (golpes de algún tipo, baños con agua fría, privación de sus alimentos, etc.), y el 70% de los niños padece violencia psicológica (insultos, gritos y amenazas).**

Esto significa que en la zona donde vives, existen con total seguridad nenes que están padeciendo este tipo de tratos. ¡En tu barrio puede estar ocurriendo ahora mismo!

Las maestras de las escuelas no siempre atienden a este detalle lamentablemente, porque no todas ellas están entrenadas para detectar las conductas típicas de un niño sometido o golpeado. Y las que logran hacerlo y reportar alguna situación, no son por lo general escuchadas por las autoridades. Tampoco cuentan ellas con las herramientas para poder actuar en estas circunstancias, ni mucho menos buscar a aquellos pequeños que se ausentan de la escolaridad a veces por semanas completas, sabiendo que detrás de muchas de esas ausencias suceden cosas horribles.

Cada vez son más los casos de niños que tienen mala conducta en la escuela. El 60% de los casos de rebeldía y mala conducta son protagonizados por niños que sufren maltrato en su hogar. **El niño no se defiende. No denuncia. No acusa.**

Hay una historia que nos ayuda a pensar y reflexionar:

Un hombre que llega a una ciudad, ve que en cada esquina hay uno o varios niños pasando frío y pidiendo limosnas. El hombre se enoja con Dios y le dice: *"¿Dónde están tus manos, Dios?".*

El hombre avanza un poco más en su cómodo coche y observa una mujer embarazada pidiendo algo para comer. Entonces nuevamente se enoja con Dios y le dice: *"¿Dónde están tus manos, Dios?".*

Y un poco más allá, mientras el hombre continúa su camino, puede ver que hay personas durmiendo en la calle apenas cubriéndose de la llovizna con hojas de revistas y diarios. El hombre se enoja otra vez con Dios y esta vez detiene su coche y grita: *"¡Dónde están tus manos Dios! ¡DÓNDE ESTÁN!".*

De pronto el cielo se abre en dos, aparece una luz muy brillante y la voz de Dios le responde: *"Tú... Tú eres mis manos".*

JUNTOS podemos hacer que la vida de otra persona sea menos dura.

Todos los días más de 2 millones de niños se van a dormir sin cenar, en pésimas condiciones físicas, de higiene y de salud.

Para poca gente es prioridad poner un plato más de comida en la mesa cada mediodía o cada noche... ¿Sabías que si todos alimentáramos una boca más, todos los días, no existiría el hambre?

Que no se malentienda, no digo que lograr tus metas y pensar en lo tuyo (lo propio) sea algo malo, todo lo contrario, incluso este libro trató en su totalidad sobre cómo lograr tus metas y las cosas que deseas.

Estoy convencido de que ayudar a suficientes personas a avanzar en la vida, resolver su situación económica y alcanzar cierto grado de plenitud, felicidad, y estabilidad financiera, te transformará en fuente de inspiración para otros, convirtiéndote en canal de bendición para asistir y ayudar a muchos más.

"Vela por los intereses de los demás, no solo por los tuyos".

Filipenses 2.4

Te invito a que conozcas más detalles de nuestra labor con niños y personas en situación de riesgo en nuestra web.

CAPÍTULO 25

MAL USO DE LA LEY DEL DAR

¿Por qué incorporé el capítulo anterior a esta obra? ¿No era esta una obra que habla del dinero y los negocios? Confío en que este material te convertirá en una persona próspera y por sobre todo, una persona de bien. Que todo el dinero que puedas hacer a partir de la implementación de tu plan de acción, será debidamente canalizado para hacer el bien social y común a otras personas. Que no te enriquecerás para ti mismo, ni para hacer alarde de tus logros, sino para mejorar tu posición a tal nivel que puedas luego dar una mejor y más abultada ayuda a quienes más lo necesitan.

La ley del **dar para recibir** funciona cuando se da desinteresadamente y con amor sincero. Miles de personas realizan donaciones a obras de caridad, pero no reciben la retribución y bendición de la ley del **dar para recibir** porque no lo hacen con amor sincero.

Si usas esta ley pensando en tu retribución, no recibirás nada a cambio. Debes pensar en cuál es la causa con la que te satisface colaborar, resolver, solucionar, y hacerlo desinteresadamente.

¿Qué causa o problema quisieras ver resuelto en este mundo antes de partir de él?

....

....

....

Mi declaración de misión:

La vida que elijo vivir es poner mi dinero a trabajar por mí; usar el dinero producido y mi tiempo para auxiliar a los más débiles y ayudar a la mayor cantidad posible de personas a expandir sus posibilidades de crecimiento y su potencial para poder así bendecir a más gente.

Vivir por nada o morir por algo

Hay una historia sobre un turista que llegó a la ciudad de El Cairo, Egipto, con la finalidad de visitar a un famoso sabio. El turista se sorprendió al ver que el sabio vivía en una pequeña y humilde morada con algunos libros. Podía ver además una cama, una mesa y un banquito de madera.

—¿Dónde están sus muebles? —preguntó el turista.

Y el sabio, rápidamente, también preguntó:

—¿Y dónde están los suyos?

—¿Los míos? —se sorprendió el turista— ¡Pero si yo estoy aquí solamente de paso!

—Yo también —concluyó el sabio—.

Moraleja: la vida en la tierra es solamente temporal...

A veces actuamos como si fuéramos a quedarnos a vivir eternamente en este mundo, dedicándonos a la búsqueda de logros y metas que nos mantienen tan ocupados y absortos que nos alejan del verdadero sentido de vivir. Y acumulamos bienes, y apilamos títulos, y nos enfrascamos en largas jornadas de trabajo perdiendo los mejores momentos de nuestra vida, olvidándonos de ser felices y de valorar lo realmente importante: saber quiénes somos, estar en comunión con Dios y hacer felices a quienes tenemos a nuestro alrededor.

En la película *Antes de partir* con Jack Nicholson y Morgan Freeman, el protagonista de la película es un hombre rico que lo tiene todo, bienes materiales, dinero y riqueza. Pero le detectan una enfermedad terminal que le permitirá vivir tan solo un año más. Es allí cuando se da cuenta, que teniéndolo todo (lo material) no ha sido feliz, y se siente vacío.

Su primera acción entonces, es hacer una lista de cosas que hará de inmediato en ese último año de su vida. Algunas de esas cosas relacionadas con el dinero, pero muchas otras no. La más importante de todas: reconciliarse con un familiar del que estaba distanciado.

Todos debiéramos tener en mano la lista de aquellas cosas que queremos hacer, vivir, disfrutar, antes de dejar este mundo. Solo así nos aseguraremos de conducir cada día en dirección a una vida plena y colmada de bendiciones. Solo así, cuando nos toque partir podremos decir: *"Estoy orgulloso de la vida que viví y la manera en que la viví"*.

En 100 años, cuando ya no estemos en este mundo, no importará cuánto trabajé, cuánto dinero tuve, qué coche conduje, qué cosas compré. Pero tal vez el mundo sea un mejor lugar gracias a que viví una vida que inspiró a muchas personas a construir una vida mejor.

Asegúrate de que no existan arrepentimientos para cuando sea tu hora de partir. Al fin y al cabo, lo ÚNICO que importa es que **la manera en que vivamos nuestra vida sea un buen ejemplo a seguir. El valor de las cosas no está en el tiempo que duran, sino en la intensidad con que se viven.**

Comparto una reflexión que llegó a mi correo cuando estaba terminando de escribir este libro:

Al fin de tu vida, cuando veas a Dios cara a cara...

— No te preguntará qué modelo de auto usabas, sino a cuánta gente llevaste.

— No te preguntará los metros cuadrados de tu casa, sino cuánta gente recibiste en ella.

— No te preguntará la marca de la ropa en tu armario, sino a cuántos ayudaste a vestirse.

— No te preguntará cuán altos era tus ingresos, sino si vendiste tu conciencia para obtenerlo.

— No te preguntará cuál era tu título universitario, sino si hiciste tus tareas con lo mejor de tu capacidad y superándote día a día.

— No te preguntará cuántos amigos tenías, sino cuánta gente te consideraba su amigo.

— No te preguntará en qué vecindario vivías, sino cómo tratabas a tus vecinos.

— No te preguntará si leíste o no esta obra, sino cuanto te esforzaste para ser más y ayudar a otras personas.

15 libros recomendados para leer en un año

- *Haga esa llamada,* de Iain Maitland. Para aprender cómo tratar a proveedores, clientes, y empleados.

- *La espiritualidad del éxito,* de Vincent Roazzi. Este fue el primer libro que leí. Excelente para orientar nuestra mente hacia el éxito.

- *El hombre más rico que jamás existió,* de J. Scott. Basado en los consejos del rey Salomón. No tiene desperdicio.

- *Marketing y Clientes*, de Mario Ascher. Excelente para ordenar tu negocio.

- *Mi mentor, un millonario,* de Steven Scott. Extraordinario para lograr pensamientos claros y elevar valor.
- *El día que David venció a Goliat,* de David Gómez. Una introducción al marketing online.
- *El mago de los millonarios,* de Steve Cohen. Una obra maestra para aprender a negociar e impactar.
- *Los 5 secretos que debes aprender antes de morir,* de John Izzo. Excelente.
- *Necesito un cambio,* de Alejandro Rial.
- *Siempre conmigo,* de Neil Bertstein. ¡Excelente para padres!
- *Hacer feliz al cliente da ganancia,* de Osmar Buyatti.
- *El poder de alcanzar las riquezas,* de Lauro Trevisan. Excelente libro.
- *Sigue los dictados de tu corazón,* de Andrew Mathews. Excelente libro.
- *El camino hacia la riqueza en acción,* de Brian Tracy.
- *Estrategias, tácticas e ideas de marketing y ventas que sí funcionan,* de Tom Wise.

15 películas recomendadas

- *Antes de partir.* La que citamos antes, con Jack Nicholson y Morgan Freeman.
- *Hasta el último hombre,* dirigida por Mel Gibson. Basada en un hecho real, trata de un joven en busca de su propósito en la vida. Altamente recomendada para ver más de una vez.
- *El Rescate,* con Gerald Butler. Una historia real. ¿Arriesgarías tu vida para salvar a otros?
- *Un camino de regreso a casa.* Basada en una historia real. Muestra la historia de un niño perdido en la India y cómo regresa a su hogar. Muy recomendada.

- *Francotirador*. Basada en hecho real.
- *En busca de la felicidad*. Basada en la historia real de alguien que pasó de pobre a rico.
- *Inquebrantable*. También basada en hechos reales, dirigida por Angelina Jolie.
- *Bee Movie*. Animada. Excelente enseñanza.
- *Tsunami*. Sobre hechos reales, conocida también como *Lo imposible*.
- *Últimas 72 horas*. O *Últimos tres días*. Una mezcla de amor y vivencias extremas que me gustó. ¡Buen guion y con muchos premios!
- *Camino*. Película de Javier Fesser sobre la historia real de una chica enamorada, enferma y a punto de morir. Una lección de vida.
- *El único superviviente*. Basada en hecho real de la milicia estadounidense.
- *Operación regalo*. Extremadamente divertida, para ver con toda la familia. Con un excelente mensaje final.
- Lágrimas del sol, con Bruce Willis.
- *Click*, con Adam Sandler. El aparato para pasar el tiempo y evitar malos momentos.

Tips, pensamientos y reflexiones

¡MEMORÍZALOS para que hagan EFECTO en tu cabeza! Te recomiendo leer uno por día, anotarlos, meditarlos y trabajar para que sean parte esencial de tus pensamientos Cotidianos.

UNO POR DÍA ¡Empieza ahora!

En este camino al logro de mis metas, he aprendido:

— Que los superhéroes no existen en las películas sino en la vida real, sin dobles, sin ensayos, sin maquillaje y sin posibilidad de rebobinar y corregir lo que haya salido mal.

— Que no es más difícil apuntar alto en la vida y tenerlo todo, que aceptar la mediocridad y la pobreza.

— Que el dinero es importante solo cuando no se lo tiene.

— Que la capacidad más extraordinaria que se nos ha dado es la capacidad de imitar el modo de hacer y pensar de otras personas con mayores logros y talentos que los nuestros.

— Que lo importante no es la meta, sino el camino a ella.

— Que a veces el mejor consejo es hacer lo contrario a todo lo que nos han enseñado.

— Que no necesitamos saberlo todo para poder comenzar.

— Que nuestras metas y objetivos nos definen como personas.

— Que muchas personas tienen buenas intenciones, pero no todas están dispuestas a pagar el precio de la grandeza. Se requiere valor, compromiso, actitud y suficiente coraje para alcanzar lo imposible.

— Que el nivel de vida está determinado por el nivel de problemas que somos capaces de resolver.

— Las grandes personas solucionan problemas grandes, las personas pequeñas solucionan problemas pequeños.

— Que aquello que nos lastima y evitamos, muchas veces es lo que nos prepara y nos instruye.

— Que el único que fracasa realmente es quien se da por vencido.

— Que el 90% de los fracasos de este mundo, viene de las experiencias de las personas más exitosas de la tierra.

— Que las personas más felices no son las que no tienen problemas, sino las que son capaces de resolverlos.

— Que todo problema tiene solución.

— Que no existen los problemas y dificultades, sino más bien pruebas y experiencias que hacen posible la superación y el aprendizaje.

— Que lo único que me separa de donde estoy y del lugar al que deseo llegar, son solamente, una tonelada de problemas y obstáculos a resolver.

— Que no hay problemas grandes, sino personas pequeñas.

— Que los problemas nunca nos aplastan, lo que aplasta es la falta de visión.

— Que la mejor palabra para describir el compromiso es **soledad**.

— Que el objetivo de la vida es estar en permanente crecimiento.

— Que el síntoma del crecimiento es el dolor y la incomodidad.

— Que las verdaderas cárceles no son las que contienen personas, sino las que llevamos dentro, en nuestra mente.

— Que quien no sabe por qué daría su vida, no ha comenzado aún a vivirla.

— Que la mejor forma de cambiar el mundo es comenzar por uno mismo y luego arrastrar a otros hacia la misma evolución, con el ejemplo.

— Que aquello que logre en los próximos cinco años, depende enteramente de las personas de las que hoy me rodeo.

— Que en las relaciones no se trata de cambiar al otro, sino de aceptarlo.

— Que el éxito depende menos de las habilidades profesionales y más de la capacidad para relacionarme con los demás.

— Que el camino rápido no es haciendo las cosas que te gustan, sino las que te convienen.

— Que todo mundo responde SÍ cuando se les habla de crecer y mejorar, pero muy pocos son los que de verdad se ocupan de hacerlo.

— Que si le dedicas a algo una hora por día, en tres años, serás experto en esa área, y en cinco años estarás entre los mejores.

— Que quienes más gastan no son los ricos, sino los pobres.

— Que una sola conversación con la persona correcta vale más que muchos años de estudio.

— Que el éxito o fracaso ante un problema no tiene nada que ver con el problema en sí, sino con la persona que lo atraviesa.

— Que quien comenzó puede fracasar, quien no comienza ya fracasó.

— Que nuestro instinto no es triunfar como algunos motivadores enseñan, sino fracasar. Si no eres capaz de actuar en contra de tu instinto natural, tus sueños no se harán realidad.

— Que el auténtico riesgo es no arriesgarse.

— Que las excusas que pones hoy para no avanzar, son las mismas que pondrás mañana para mantenerte en el mismo lugar.

— Que aquellas cosas que no eres capaz de colocar en tu agenda, nunca las harás.

— Que es más fácil reaccionar que responder.

— Que cualquiera puede reaccionar, no se necesita nada especial para ello. Pero para responder, se necesita calma y discernimiento para meditar y repensar antes de hacerlo.

— Que lo importante de tener metas, es la persona en que te convertirás en el proceso hacia ella.

— Que se nos reconocerá por los problemas que seamos capaces de resolver, no por los que dejemos inconclusos.

— Que actuar como si fueras invencible atrae a las personas, aunque no lo seas. Nadie jamás nota la diferencia.

— Que IMPOSIBLE es una opinión, no un hecho.

— Que IMPOSIBLE es un adjetivo que usan las personas pequeñas para justificar lo que ellos son incapaces de hacer.

— Que ÉXITO es alcanzar aquellas cosas que la mayoría dice que no se pueden lograr.

— Que los únicos que no sienten dolor son los que están ya muertos.

— Que la felicidad no es una meta, sino un estado.

— Que el éxito no es un lugar al que se llega, sino el camino que se lleva.

— Que lo más importante para un niño es que le ayudes a montar su casita de juguetes y que te metas con él dentro de ella a jugar con sus autitos y muñecos.

— Que quien de verdad ama lo que hace, está dispuesto a dar la vida por su causa.

— Que de quienes menos imaginas, más ayuda tienes cuando la necesitas.

— ¡Que la gracia de la vida es disfrutar el HOY, porque el MAÑANA no existe!

— Que lo importante no es cuánto tengo, sino cuánto compartí aquello que tengo.

— Que la avena y las frutas me mantienen sano y fuerte.

— Que caminar 45 minutos diarios no es opcional, es una necesidad para estar creativo y sano.

— Que divertirte es la mejor terapia para generar nuevas energías e ideas.

— Que el tiempo no vuelve atrás, y la edad para que tus hijos conozcan a Mickey Mouse en persona (visitar Disney), es a los 4-5 años de edad.

— Que la más valiosa posesión material es tu biblioteca.

— Que la mano que abre un libro, no es la misma que lo cierra.

— Que debes aprender a perdonar cuanto antes y que solo se logra con práctica constante.

— Que no importa cuánto te ame o quiera esa persona, tarde o temprano tendrás algo que perdonarle.

— Que siempre a quienes más lastimamos, son las personas a quienes más amamos.

— Que solo perdona quien ama de verdad, y que si no perdonas a alguien es porque no mereces a esa persona.

— Que amor sin perdón no es amor. Que Dios es amor, porque él nos perdona.

— Que no importa cuánto le des y ayudes a la gente, siempre habrá personas que querrán lastimarte.

— Que a las personas no les importa cuánto uno sabe, sino cuánto le importan ellas a uno, y se dan cuenta por la forma en que actuamos y no por lo que decimos.

— Que es mucho más importante estar al lado de alguien en el momento en que te necesita, que estar muchos momentos al lado de alguien cuando no te necesita.

— Que quienes murieron no nos han abandonado, simplemente se nos adelantaron. Todos vamos hacia el mismo sitio.

— Que todos quieren ir al cielo, pero nadie quiere dejar este mundo.

— Que no necesito esperar el cielo si puedo comenzar a vivirlo hoy, aquí y ahora.

— Que el poder más grande que Dios nos ha dado es el **poder de elección**. Y del uso que le demos dependerá todo lo que seremos en la vida.

— Que no puedo competir con Dios, no porque Él sea más grande que yo, sino porque Él y yo somos UNO.

— Que solo quienes están al borde de la muerte se da cuenta lo poco que disfrutaron, lo poco que arriesgaron, lo poco que amaron y lo poco que ayudaron... No esperes estar en una situación límite para reaccionar y ordenar tu vida.

— Que pensar en las cosas que haría si me quedara solo un año de vida, me ayuda a poner en perspectiva y organizar mi vida.

— Que lo trágico de la vida no es que un día se acabe, sino nunca haber vivido y logrado nuestros sueños.

— Que lo importante no es lo que tengo, sino a quién tengo.

Descarga todos los *TIPS* para el ÉXITO y una VIDA MEJOR en mi sitio web: **www.JoseMontoya.info**. ¡Te espero allí!

DESPEDIDA

Una encuesta reciente entre personas de diferentes status social y nivel de ingresos, a las que se les pregunto si eran o no felices, demostró lo siguiente:

Gente que gana menos de 2.000 usd/mes = 20% feliz.
Gente que gana entre 2.000 y 5.000 usd/mes = 28% feliz.
Gente que gana entre 5.000 y 10.000 usd/mes = 41% feliz.
Gente que gana entre 10.000 y 30.000 mil usd/mes = 41% feliz.
Gente rica que gana mucho más que los anteriores = 28% feliz.

Estas estadísticas demuestran que el dinero es un parámetro que colabora en la felicidad de las personas, pero hasta cierto nivel solamente.

Es importante llevar mis ingresos a un nivel que permita la realización de mis metas y las cosas que deseo. Eso aportará, como demuestran las estadísticas, algún grado de felicidad y realización a mi vida (no tener deudas, no tener preocupaciones económicas, disponer de tiempo libre para las cosas que deseo, poder ayudar a otras personas, etc.).

En mi caso particular, cuando pienso en las cosas que más deseo y que llenan mi alma de satisfacción y plenitud, nunca pienso en el auto, en la casa, ni en los viajes que he hecho. Lo primero que se me viene a la mente es todo lo que aún no he hecho por todos esos niños a los cuales todavía no hemos llegado con nuestro trabajo social y humanitario.

Lo material aporta algún grado de bienestar, y por ende eso se traduce como felicidad, pero hasta cierto nivel únicamente. **Tu Libertad Financiera, es algo que no puedes tomar demasiado tiempo en solucionar. De lo contrario el dinero, el trabajo y la necesidad de subsistencia diaria te robarán gran parte de tus días y de momentos que debieron ser ocupados en otras áreas de tu vida.**

¡Hay muchas cosas por descubrir allá afuera! ¡Hay muchos lugares por conocer! Idiomas que aprender, momentos que crear y personas a las cuales amar y ayudar.

Cuando tú eliges ser libre financieramente y crecer en todo aspecto de tu vida, te conviertes en una persona en posición de GUIAR, INSPIRAR, CUIDAR y AYUDAR a muchos otros más.

TÚ y YO juntos desde este instante APP, WHATSAPP y REDES SOCIALES

Si visitas nuestra página web: **www.JoseMontoya.info**, encontrarás nuestras redes sociales, nuestro e-mail y nuestra App, donde cada semana compartimos *tips* y consejos para el éxito personal y empresarial.

Deseo con todo mi corazón que este libro y sus diferentes temas te hayan sido de bendición e inspiración para moverte HOY MISMO en una nueva dirección.

Habernos conocido tú y yo, a través de esta obra, no sirve de nada. El tiempo invertido en la lectura y estudio de este material no sirve de nada, si AHORA MISMO no eliges levantarte y hacer algo al respecto. No permitas que este sea un libro más en tu biblioteca. ¡No permitas que mañana cuando el despertador suene y arranques tu día, sea simplemente un día más! ¡Haz que se note! ¡Desde este instante! ¡Haz que se note!

Vuelve y repasa cada uno de los ejercicios y notas que tomamos juntos. Ocúpate de mañana mismo implementar las primeras acciones.

Te espero en mi sitio web para compartir tus primeras experiencias después de haber iniciado tu PLAN de ACCIÓN hacia cada una de tus metas. ¡De ti depende que hoy comience una nueva época en tu vida!

ÍNDICE

Esta edición se terminó de imprimir en el mes de octubre de 2020
en los talleres gráficos de SOLUCIONES GRÁFICAS S.R.L.
Adm. y Ventas: Obispo Trejo 253/295 - Planta: Av. Gral. Savio 5990
Córdoba - República Argentina

Made in the USA
Monee, IL
05 July 2021

72975120R00144